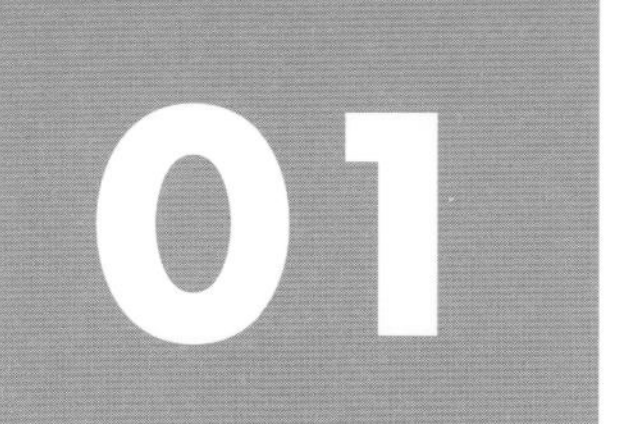

和菓子に欠かせな

連想クロ

答え

A	B	C

答えは46ページ

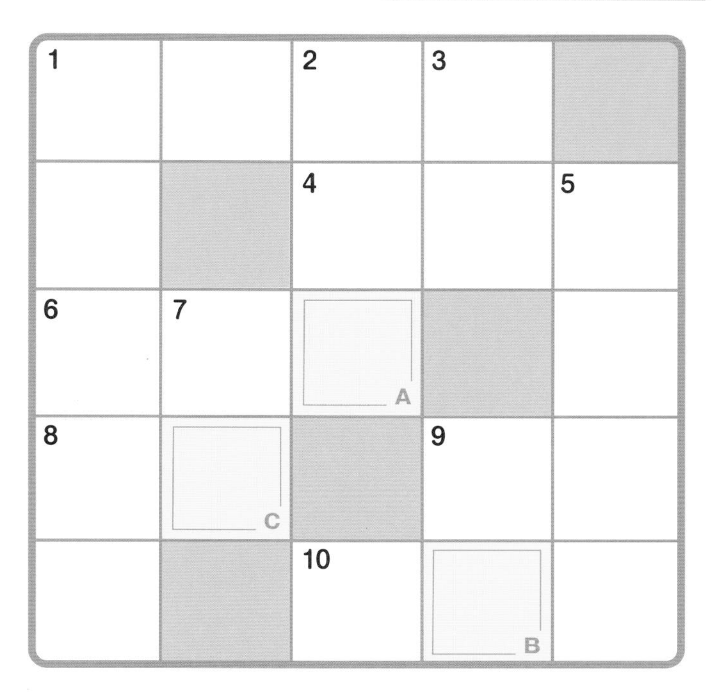

タテのカギ

1 専用の器具で押し出す

2 オンライン○○○

3 「お砂糖3つ入れます」甘○○

5 日本の年中行事の一つ

7 地を踏む動作

9 タンドール窯で焼く

ヨコのカギ

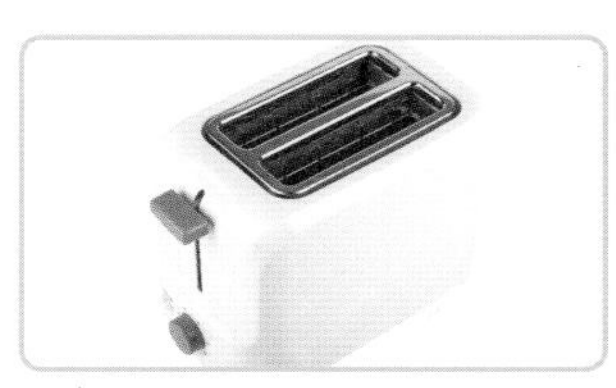

1 高温で短時間で焼く

4 桃の節句の日に飾ります

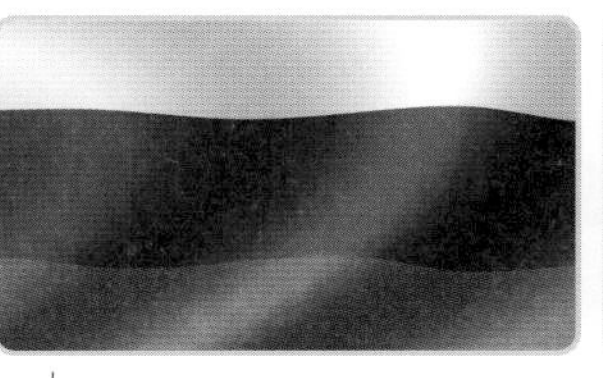

6 国旗の国

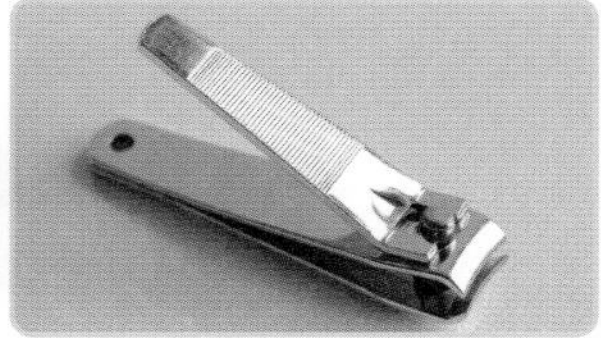

8 支点、力点、作用点

9 解きます

10 種から出てくるもの

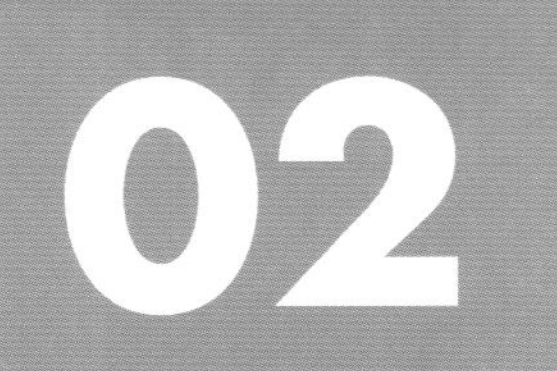

食欲が止まらない！

連想クロス

答え

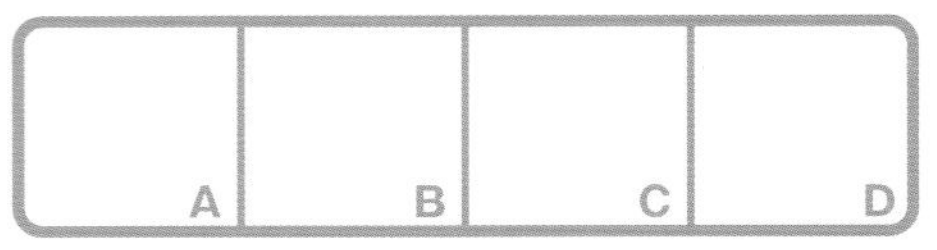

A	B	C	D

答えは46ページ

■	1 (A)	2		■	3
4			■	5	
	■	6	(D)		
7	8		■	9 (B)	
10 (C)		■	11		■
12			■	13	

タテのカギ

1 鈴を鳴らすと寄ってこない？

2 出た目の数だけ進む

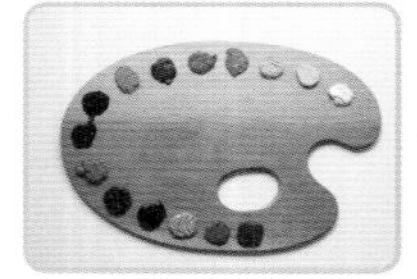

3 英語で oil painting

4 沖縄発祥の料理

5 東野圭吾『放課後』の事件現場

8 コンビニエンス○○○

ヨコのカギ

1 疲れて見える理由

4 メスはこれを産みます

5 二つあるものもいる

6 浜田省吾『○○○○の少年』

7 二度焼きしたお菓子

9 アイヌ語で「チセ」

10 これを食べてつくります

11 フィルターもこの紙の一種

12 畳の上に○○○で立つ

13 多くの地域の6～7月の天候

吉原といえば？

連想クロス

答え

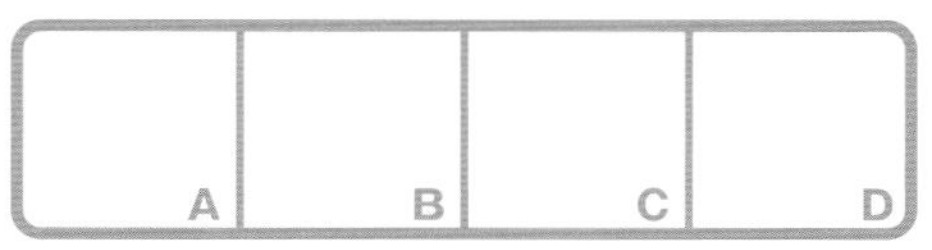

答えは46ページ

1 (C)		2 (A)		■	3
	■		■	4	
5					■
	■		■	6	7 (B)
■	8	■	9	(D)	
10				■	

タテのカギ

1 1853年に黒船が○○○○

2 英語でtoy

3 なんの魚の形？

4 ピクニックに行くなら

7 詐欺犯と警察の○○○ごっこ

8 年末の『合戦』といえば？

9 わさびおろしには○○皮

ヨコのカギ

1 「百獣の王」といえば？

4 初めての気持ち

5 夏休みに探そう!

6 ヒレがお酒に合う

9 この帽子といえば？

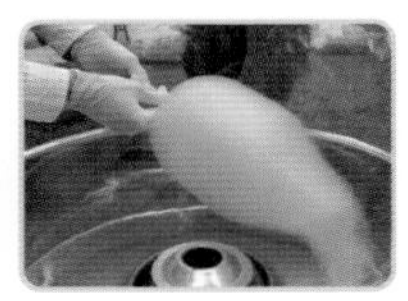

10 『バーバパパ』誕生のきっかけ

ウサギがいるかな？

連想クロス

答え

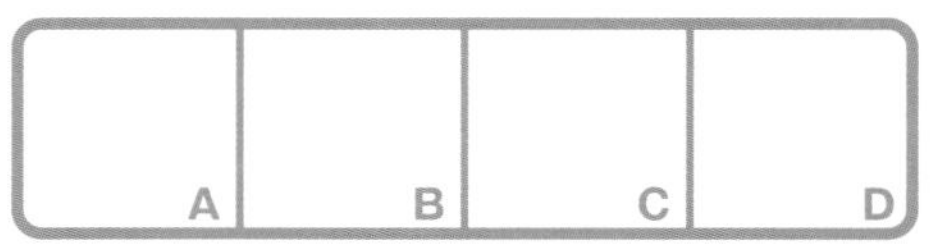

答えは46ページ

1	2		■	3	4
■		■	5	■	
6	■	7	B	8	
9	10 D		■		■
11		■	12		13
C	■	14		A	

タテのカギ

2 京都・奈良・鎌倉

4 ◯◯◯面積は160㎡

5 文庫◯◯、単行◯◯

6 「悪い子はいねが～」

7 正す場所

8 リヤカーともいう

10 建物の外壁を覆う植物

12 英語でtown

13 ナイアガラにある

ヨコのカギ

1 「わっしょい!」

3 味の決め手となるもの

7 浅草寺では7月10日

9 歌のタイトルにもある

11 魚の名前

12 ログハウスなどに使う

14 気合を入れるために巻く

05

フワフワおいしい

連想クロス

答え

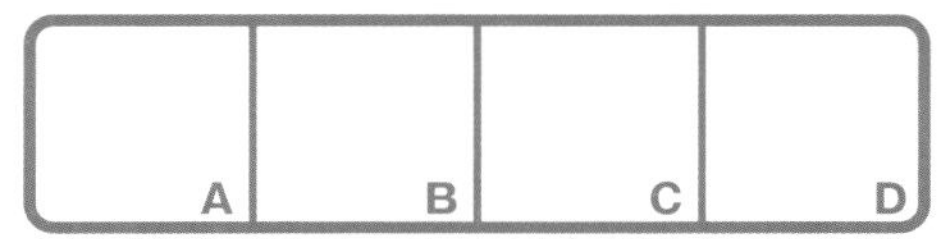

答えは46ページ

1		2	■	3	4
	■	5 (D)	6	■	
7		■	8	9	
	■	10 (A)	(C)		
■	11 (B)			■	
12			■	13	

タテのカギ

1 フランスを代表する洋菓子

2 アゲ、カツ、ダンゴ

4 漢字で「梶木・旗魚」など

6 「まだあげ初めし○○○○の」

9 親しい間柄のたとえに使う

10 ショパンの名曲

11 流しそうめんで使う

ヨコのカギ

1 録音、拡声に使う

3 美瑛町「四季彩の○○」

5 英語で island

7 テレビ番組の野外撮影

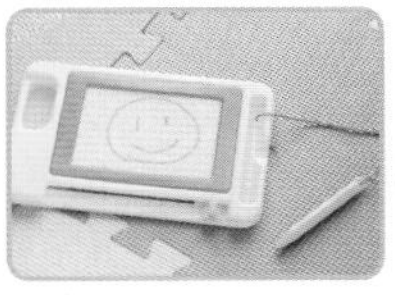

8 お○○○ボード

10 自己中心的なこと

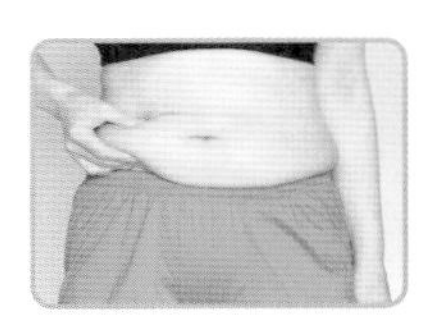

11 気になるところ

12 後片づけの準備

13 塗り絵には何鉛筆？

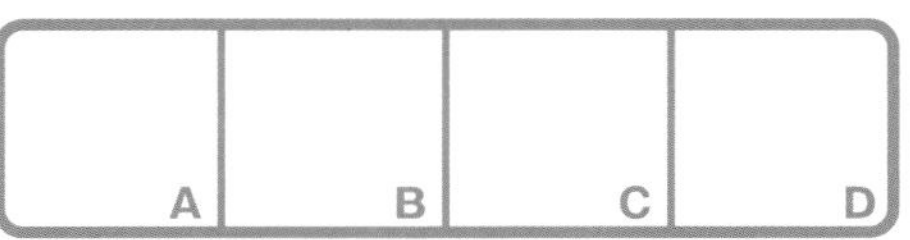

船や鉄道に欠かせない人！

連想クロス

答え

A	B	C	D

答えは46ページ

1 D	2	3	■	4	
5				A	■
■	6		■	7	
8		C	9		■
10		■		■	11
	■	12 B			

タテのカギ

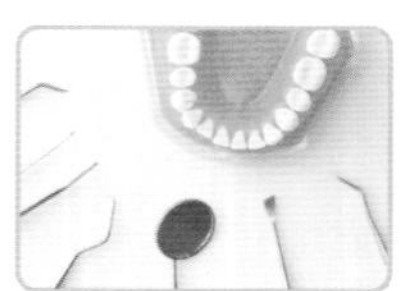

1 ○○医

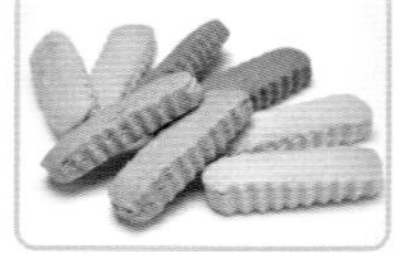

2 沖縄の定番みやげ

3 英語でjungle

4 ジュースを作る調理家電

8 給料の振込金額

9 子ども向けに創作した物語

11 語源は履物の「下足」

ヨコのカギ

1 蕎麦に一振り

4 間にできたもの

5 宮尾登美子の小説

6 ○○鉢、ごま○○

7 「○○を読む」で年齢を偽る

8 韓国の国技

10 3位のメダル

12 漢字で「獺・川獺」

一日の始まりを告げる

連想クロス

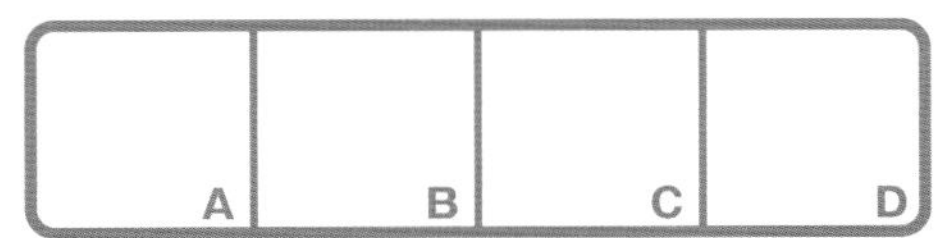

答え

A	B	C	D

答えは46ページ

1	2	■	3		4
■	5			■	
6 C		■	7	8	■
■	9	10	■	11	12
13	■	14	D		B
15 A			■	16	

タテのカギ

2 英語で Mercury

3 みんなで囲む

4 手袋の素材

8 「住所」を英語でいうと？

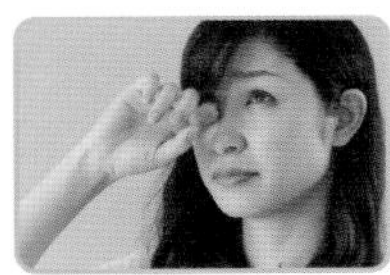

10 ○○○が止まらない

12 当たるともう一本

13 たんぽぽの○○毛

ヨコのカギ

1 何の地下茎？

3 5月5日の節句

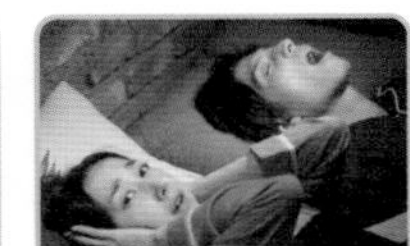

5 眠れない理由

6 噺家を間近で見られる

7 ○○ガーデンで乾杯

9 漢字で「烏賊」

11 「扉」を英語でいうと？

14 夜に出たら怖い

15 座れない人たちは……

16 年末に払う

あぁ、思い出の香り　連想クロス

08

答えは46ページ

1	E	2		3
	■		■	
4	5	■	6	
■	7	8	■	
9				■

タテのカギ

1 人間の言葉がマネできる

2 昔話でもおなじみの動物

3 そりを引き、荷を運ぶ

5 ルアー釣りで人気の魚

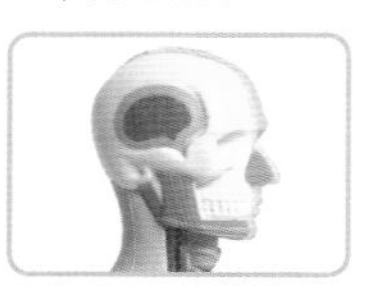

8 からだ全体をコントロール

ヨコのカギ

1 南米の熱帯雨林にいるネコ科

4 標本にして観察する

6 世界に約450種類生息

7 花札の役割の一つ「○○しかちょう」

9 ○○○○は生き物たちを育む

09

答えは46ページ

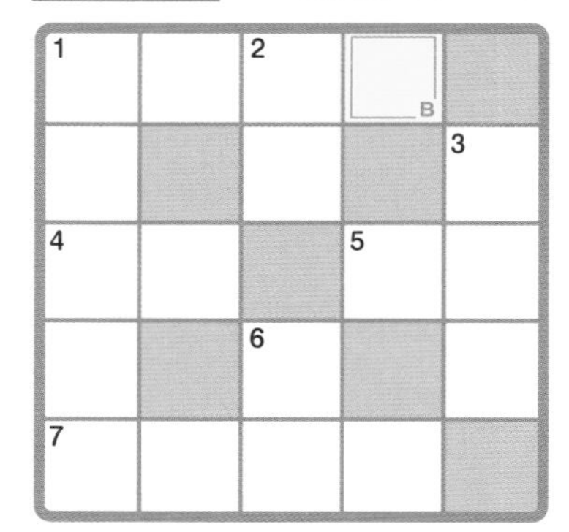

タテのカギ

1 雪の降る地域に生息

2 ニホンイシガメの子ども「○○ガメ」

3 発光することで知られる昆虫

6 尾びれに毒針がある

ヨコのカギ

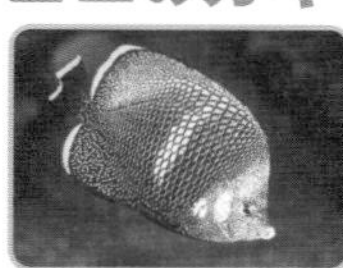

1 京都の着物とかけた和名

4 世界で最も危険な「○○イドリ」

5 尾は短くて巻いている

7 「初音」といえばこの鳥

10

答えは46ページ

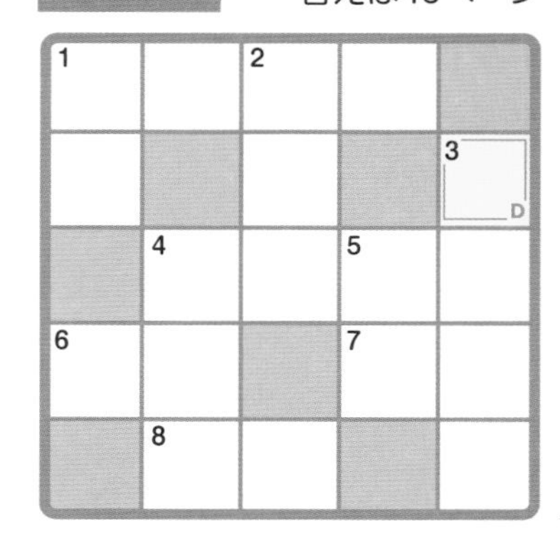

タテのカギ

1 短鼻の小型犬

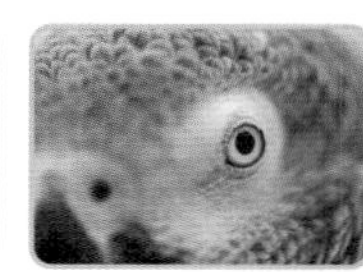

2 大型のインコ

3 殻の退化した泳ぐ巻貝

4 クロスズメバチの別名

5 メジナの別称

ヨコのカギ

1 蝶のような耳が特徴

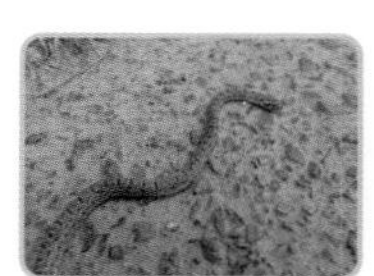

4 元禄ヘビとも呼ばれる日本の固有種

6 世界各地で食用にされる

7 ライオンをラテン語で

8 クロダイの別称

答え

A	B	C	D	E	F

11

答えは46ページ

1		2		3
		4	5	F
6	7			
	8			9
10			11	

タテのカギ

1 漢字では「李」

2 日本の代表的な花の一つ

3 「祝福」や「感謝」を表す首飾り

5 麦などの茎を干したもの

7 鮮度が命

9 クリスマスツリーに使われる

ヨコのカギ

1 秋の七草の一つ

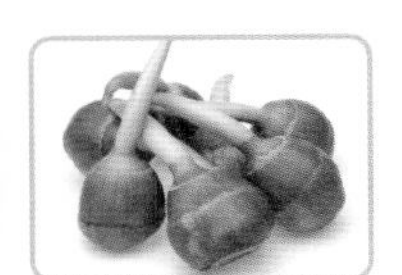
4 縁起の良い食べ物

6 甘く、とろける食感

8 熱帯を中心に分布

10 どんぐりがなる木の一種

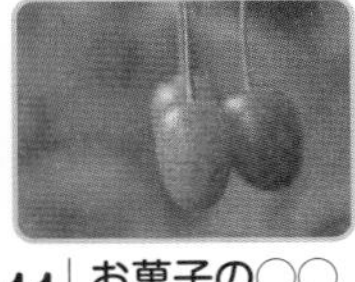
11 お菓子の○○とは無関係

12

答えは46ページ

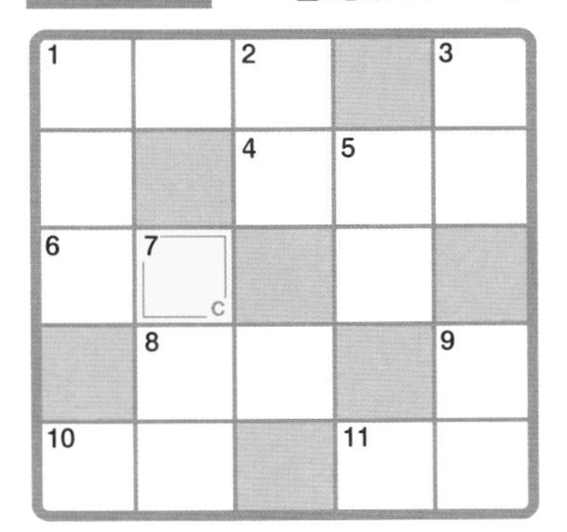

タテのカギ

1 人名によく使われる花の名前

2 葉は漢方にも処方される

3 白と青の二種類がある

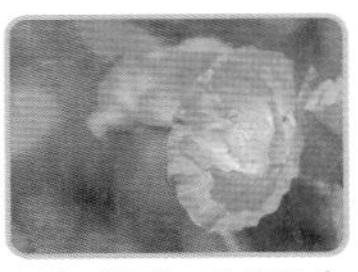
5 ポピーと呼ばれる種類も

7 歌のタイトルにも

9 日本原産の野菜の一つ

ヨコのカギ

1 素朴な甘さが魅力

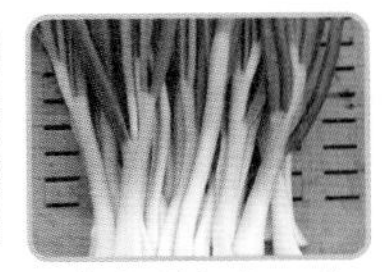
4 ネギとタマネギの雑種

6 総称してこう呼ぶ

8 尾瀬で5月頃に咲く「○○バショウ」

10 雨上がりなどに見える自然現象

11 秋の代表的なフルーツ

13

答えは46ページ

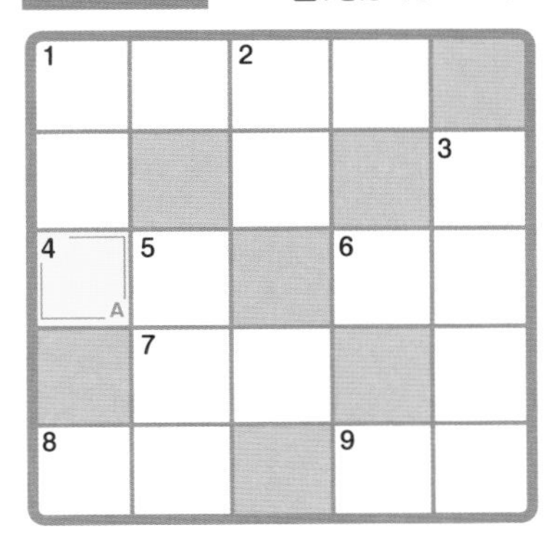

タテのカギ

1 日本の代表的な木材

2 早い時期にとれる○○ミカン

3 ピンク、青、紫の花が咲く

5 ブナなどの切り株に固まって生える

ヨコのカギ

1 花は黄色で、種は食用

4 大豆を原料とした○○粉

6 パンダの好物

7 雄木と○○がある

8 「不老長寿の薬」と言われる実

9 食用○○ずきは、実を食べる

犯人が残している？

連想クロス

答え　　　答えは46ページ

A	B	C	D

1		2	3		4	
		5			6	
7	8		9	B		
10 A		11			12	13
		14		15		
16 D	17			18 C		
			19			

タテのカギ

1 ○○○○○○○パンダ

2 二番目の動物

3 手の先が鎌の妖怪？

4 中島みゆき『○○○○の星』

8 大型の猛禽類

11 これを見ながら弾く

13 「言い伝え」のこと

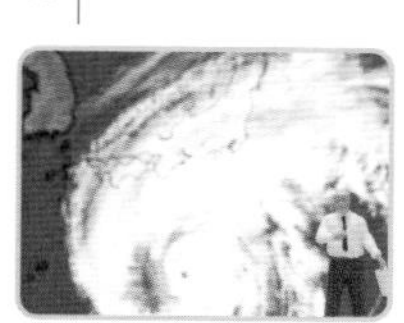

15 熱帯低○○○が発達

17 みんなで声を合わせて……

ヨコのカギ

1 小柳ルミ子『わたしの○○○○○○』

5 リスの模様

6 「ワレワレハ宇宙○○ダ」

7 「一念○○をも通す」

9 太宰や芥川が遺した最期の手紙

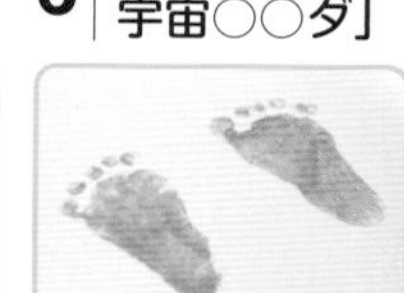

10 赤ちゃんの記録

12 鍛えている場所

14 ○○○は柱にならぬ

16 メインの具材

18 ひざ下くらいの場所

19 熱いうちに打て！

キクはキクでも？

連想クロス

1		2			3	
				4		5
6	7 A		8 D		9 B	
			10	11		
12						13
			14		15	C
16					17	

答え

答えは46ページ

A	B	C	D

タテのカギ

1 温厚な人も三度まで

2 銭湯をこう呼ぶ人もいる

3 熱海や草津が有名

5 一寸先は○○

7 もしもし？聞こえる？

8 視線が○○づけ

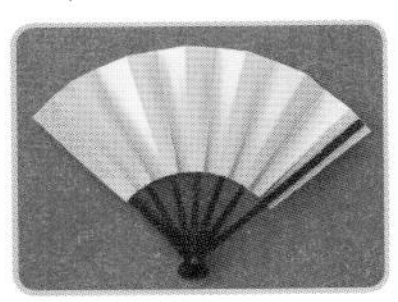
11 日本舞踊で使う

13 この切り方は?

14 趣味は？

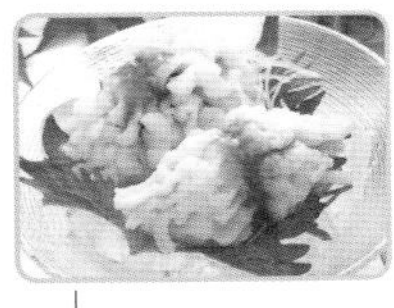
15 京都の夏の味覚

ヨコのカギ

1 話が大げさ

4 志賀直哉『○○○行路』

6 球団と複数年結ぶ

9 角田光代『八日目の○○』

10 三大祭りの一つ

12 コンビニの定番？

14 「パッチワーク」の和訳

16 沖縄特産のお酒

17 木々が密集

16

あと もう一歩！

連想クロス

答え　　答えは46ページ

A	B	C	D

1		2 (C)		3	■	4
	■		■	5	6	
7	8		9	■	10	
■	11			12	■	(D)
13	■		■	14	15	■
16 (A)	17	■	18			
19	(B)			■		■

タテのカギ

1 写真を撮るよ

2 四重奏のこと

3 越路吹雪『サン・〇〇・マミー』

4 声や楽器で奏でる

6 お風呂で使う

8 運命の繋がり

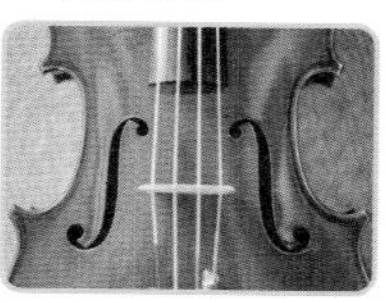

9 プッチーニ弦楽四重奏曲

12 R&B=「〇〇〇＆ブルース」

13 動物の多くは一夫〇〇〇

15 昭和の雰囲気

17 「太陽」を英語でいうと？

18 ボテボテの〇〇

ヨコのカギ

1 指で弦をはじく演奏法

5 関係に「不協〇〇〇」が生じる

7 温度差があると窓ガラスにつく

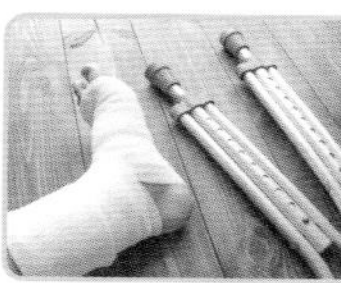

10 少し痩せた！「〇〇の功名」？

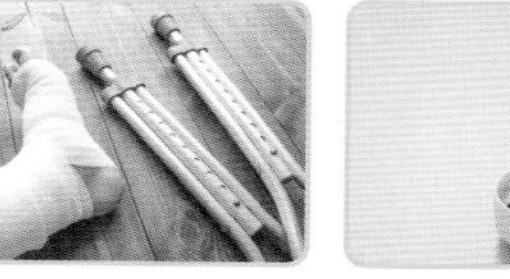

11 お猪口とセット

14 音程の〇〇、ひどくない？

16 パンダの好物

18 飛び越えて楽しむ遊び方

19 曲の前奏部分

17

クリスマスは大忙し

連想クロス

1		2 (A)		■	3	4
	■		■	5		
6			(D)	■	7	
	■		■	8	■	
9	10	■	11		12	
■	13 (C)	14		■		■
15			■	16 (B)		

答え　　答えは46ページ

A	B	C	D

タテのカギ

1 夜空に光る

2 土佐が有名

3 定番の中身は？

4 藤沢周平の一冊

8 安全地帯『○○の予感』

10 初心者向けのマーク

11 引越しを機に新調した

12 お湯にくぐらすと緑になる

14 カレーは何派？

ヨコのカギ

1 茨城県が名産地

3 手に○○握る展開

5 ○○○処で休憩

6 絶妙なチームワークのこと

7 讃岐うどんの命!

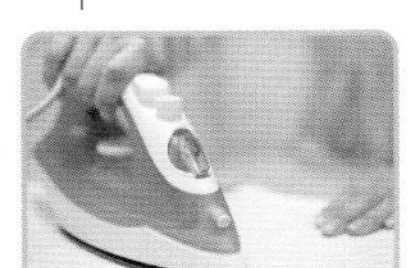

9 着ているとできるもの

11 発芽直後

13 金属部分の総称

15 最初は○○○持ちから

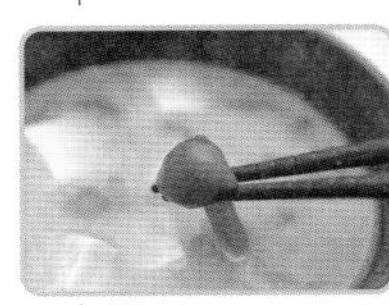

16 独特のぬめりが特徴

18

女性の憧れ

連想クロス

答え

答えは46ページ

A	B	C	D

1		2 C		3		4
5		D	6			
		7			8	
	9			10		
11			12		13	14 A
	15	16		17		
18	B			19		

タテのカギ

1 漢字で「海鼠」

2 人魚のモデル?

3 「うる覚え」ではなく「○○覚え」

4 落とした靴の素材

6 子どもの子どもは?

8 L・M・モンゴメリ『○○○のアン』

9 万年筆の老舗ブランド

12 「金を○○に捨てる気か!」

14 ○○○ベルトは締めた?

16 「タケ○○ヤケタ」?

17 ドラキュラにあるモノ

ヨコのカギ

3 海の大動脈「スエズ○○○」

5 バーベキューでは焼くことも

7 PM のこと

8 今日→○○→明後日

9 「剣より強し」

10 鉄棒で「○○上がり」

11 乗り物は?

13 一年で最も昼が長い

15 今は少ない屋根

18 頼りきり「○○○に抱っこ」

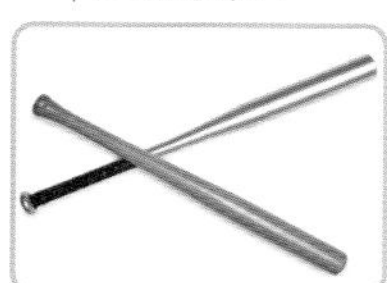

19 木製・金属製がある

微生物の働き

連想クロス

1	2	■	3	■	4	5
■	6	7		8		
9	■		■		■	
10	11			■	12	■
13			■	14 A	B	
■	C	■	15			■
16				■	17 D	

答え　　答えは46ページ

A	B	C	D

タテのカギ

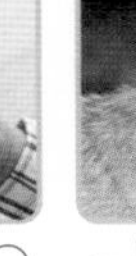

2 待っても「○○のツブテ」

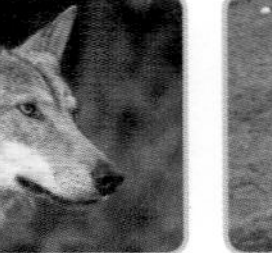

3 仲間と行動すること

4 「○○送球」

5 ある鳥のような行水

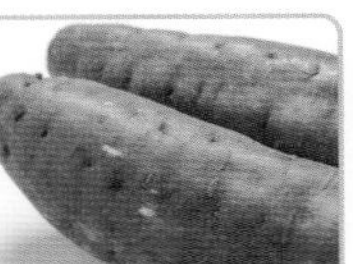

7 甘い蜜で食べるイモ

8 共通の二文字

9 石造彫刻

11 ○○○○地、○○○○客

12 これを注ぐとできあがり

14 入学の季節

15 「○○ぼちでんな」

ヨコのカギ

1 金魚の祖先

4 恥の色？

6 春、少し早く咲く

10 寿司ネタになる

13 補充する液体

14 ぐるりとツバがある帽子

15 落雷＝サンダー○○○

16 夕方ごろ激しく降る

17 杉田かおる『鳥の○○』

パリ・大阪の共通点は？ 連想クロス

20

答えは46ページ

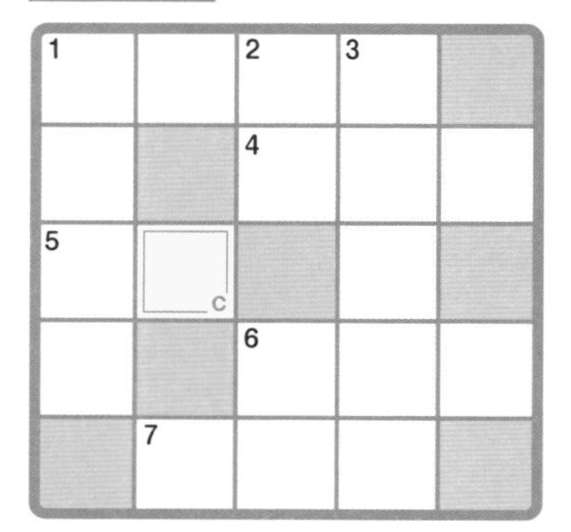

タテのカギ

1 昔は憧れのごちそう

2 昆布や鰹節で取る

3 目盛が振られた帯

6 戦国時代の末期以降つくられた

ヨコのカギ

1 ガラス製の球

4 サインや寄せ書きに使われる

5 高野山をはじめ全国にある

6 社員全員で歌う

7 雑誌の○○○にもある

21

答えは46ページ

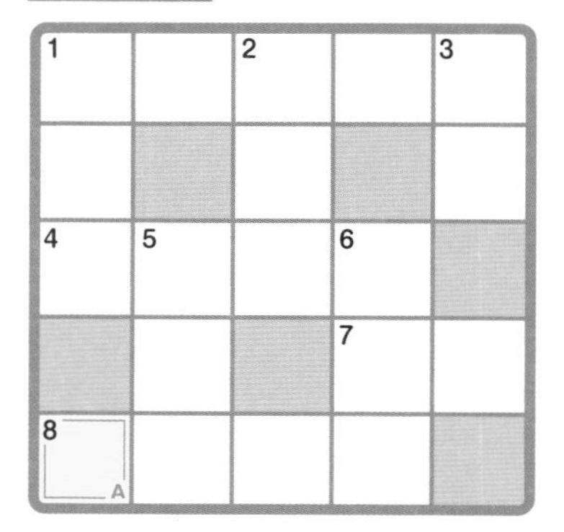

タテのカギ

1 京都では芸妓の見習い

2 ビラともいう

3 漢字で「独楽」

5 伝統的な漁法

6 冬に着る綿入りの着物

ヨコのカギ

1 紙製の小箱

4 古くから伝わる木組の戸

7 ○○の原理を利用

8 明治・大正時代に流行した服装

22

答えは47ページ

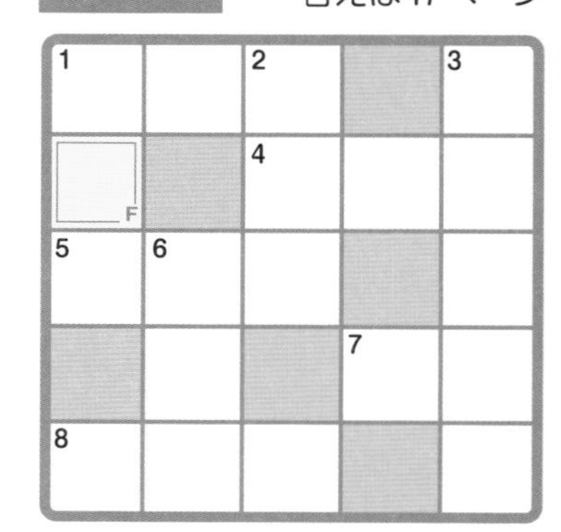

タテのカギ

1 「○○○時代」西洋文化で大きく変化

2 古い書物、形式のこと

3 10円硬貨専用の公衆電話

6 今はメールに代わりつつある

ヨコのカギ

1 日本の子どもの遊び

4 江戸前寿司の一種

5 調べ物をする書物

7 芥川龍之介の代表作『羅生○○』

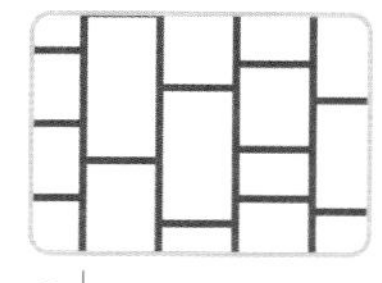

8 くじの実施方法

答え

A	B	C	D	E	F

23

答えは47ページ

1	2		3	D
4				5
			6	
7				

タテのカギ

2 インスタントカメラの商標

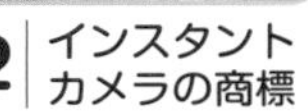

3 日本では正月の遊び

5 子ども向けのお菓子

ヨコのカギ

1 日本で創作された料理

4 火をたく場所

6 写真と一緒に受け取るもの

7 みんな昔は〇〇〇だった

24

答えは47ページ

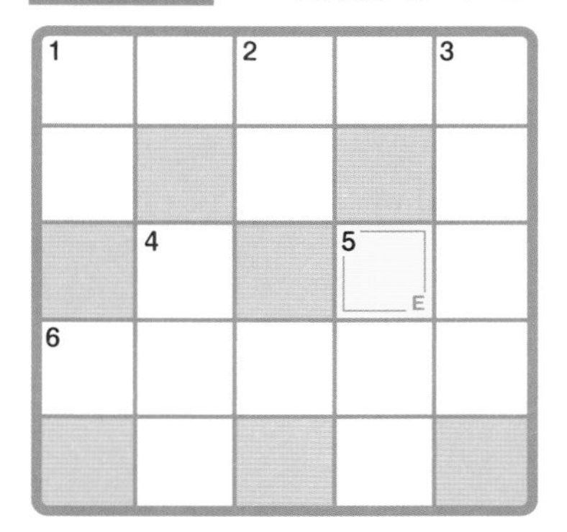

タテのカギ

1 コレを踏まれたら負け

2 ドイツ発祥のお菓子

3 家事のマネをする遊び

4 懐かしのクリーム〇〇〇

5 鰹節削り器と仕組みは一緒

ヨコのカギ

1 風によって回る

5 アケビなどのつるで作る入れ物

6 「ハマの番長」のトレードマーク

25

答えは47ページ

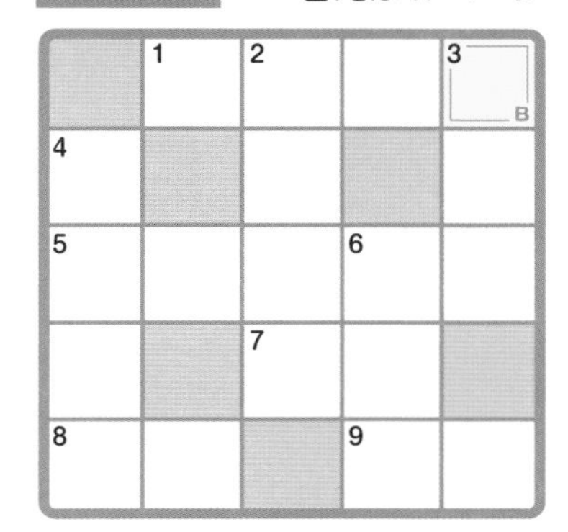

タテのカギ

2 コマの一種

3 リングをつないで作る

4 巻いたらおしゃれ

6 おじいさんのことを昔話では

ヨコのカギ

1 男女二人のこと

5 夏といえばコレ

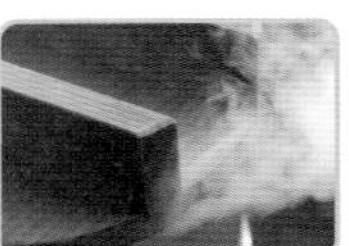

7 カマドに火を付ける材料

8 音楽の授業の定番

9 食感が楽しい〇〇デココ

26

クラスに一人はいました

連想クロス

答え　　　　答えは47ページ

A	B	C	D

1		2		3		4	
	■		■		■		■
5	A			■	6		
	■		■	7	■		■
8	9	■	10				
11					■		■
■		■		■	12		D
13	C		■	14		B	■

タテのカギ

1 めざせフェアリージャパン

2 鳴き声が「ミャーオ」

3 高地に適応した動物

4 楽しく回ろう♪

7 場の境目にある建造物

9 簡易になったら？

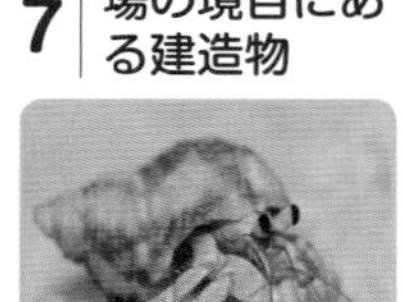

10 海外に◯◯◯される

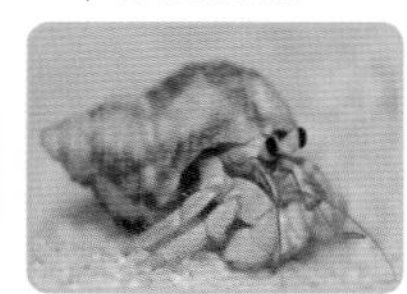

12 ヤドカリが住処にしている

ヨコのカギ

1 豚骨や味噌より人気？

5 切ると涙が……

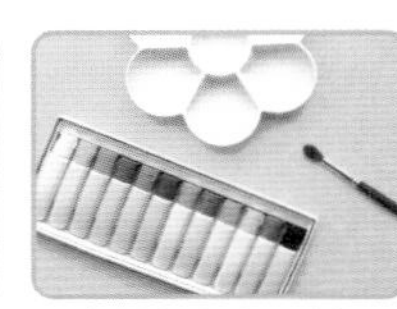

6 「美術」を英語でいうと?

8 家康は水戸光圀の◯◯

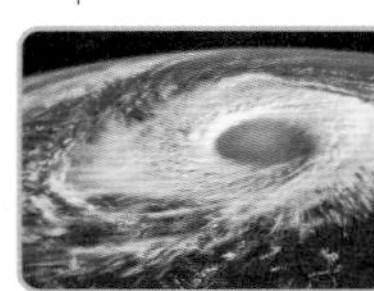

10 アメリカ南部に上陸

11 身に付けられる物

12 大工道具の一つ

13 大きく変わることもある

14 職業は？

おしゃれのポイント

連想クロス

1	■	2	■	3	4 B	5	■
6							7
	■		■		■	8	
■	9					■	
10	■		■		■	11	
12	13		14	■	15		D
16		■	17			■	
18 A				■	19		C

答え　答えは47ページ

A	B	C	D

タテのカギ

1 「○○○ボタン」は和製語

2 「管弦楽団」のこと

3 箱型も多い

4 燭、人形、封

5 ロッキング○○○

7 「冒険」を英語でいうと?

10 リフレッシュできる

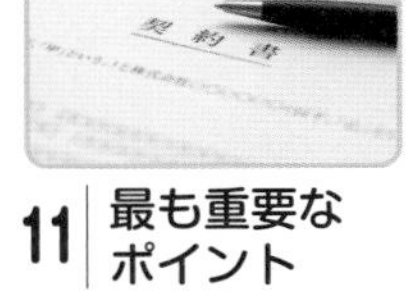

11 最も重要なポイント

13 世界最大の哺乳類

14 捕まった原因

15 細川たかし『北○○○』

ヨコのカギ

3 箱崎の「ヤマタノ○○○」

6 礼服、とくに洋装のもの

8 宣伝用の○○バルーン

9 5年なら青、10年なら赤

11 1位の色

12 近くに落ちた！

15 「探す」を英語でいうと?

16 食い○○が張っている

17 童話に出てくる王様

18 懐かしい「○○○○管」

19 不用品を出す

明るく照らすよ

連想クロス

答え　　答えは47ページ

A	B	C	D

1 (A)		2	■	3	4		5
	■	6		■		■	
7	8		■	9			
■	10	(C)	11	■			
12		■	13	14	■	15	
16		17					■
	■	18			■	19	
20 (B)			■	21	(D)		■

タテのカギ

1 聖火リレーでも使う

2 チューリップで有名な国

4 「ドラッグストア」ともいう

5 徳島などで行う盆踊り

8 アメリカの漫画本

11 買い物の最後にすること

12 会社を辞めることにした

14 英語でいうと？

15 入口前で押す

17 天使にもある

ヨコのカギ

1 コンビじゃなくて？

3 シュークリームの一種

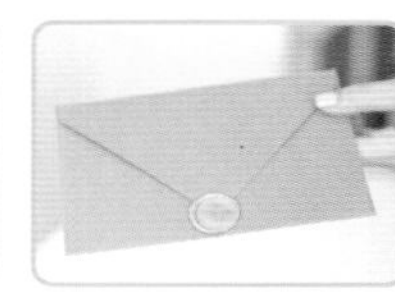
6 浅田次郎『○○・レター』

7 悪化している

9 魚を釣る道具

10 観賞用の小型の魚

12 前方に注意！

13 カニや貝などを見て遊ぶ場所

15 積もれば山となる

16 英語で secret society

18 二輪車のこと

19 弁護人からの申し立て

20 人の話に花を咲かせる

21 泳ぐときに被る○○○キャップ

29

趣味にもいいよね！

連想クロス

1		2	■	3 E		4	
	■	5	6		■		■
7	8		C	■	9		
10 B		■	11	12			■
	■	13	■	14		■	15
16	17					18	
■	19		■		■	20 A	D
21				■	22		

答え　答えは47ページ

A	B	C	D	E

タテのカギ

1 「ウッドベース」ともいう

2 町火消が持っている

3 「出る○○は打たれる」

4 韓国料理の一つ

6 モスクワはどこの首都？

8 「○○付け油」の香り

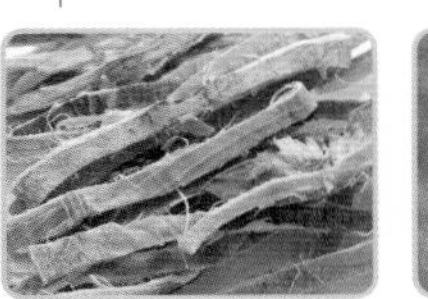

9 スルメの別の呼び方

12 英語で zebra

13 はい、カット！

15 これを使う遊びは？

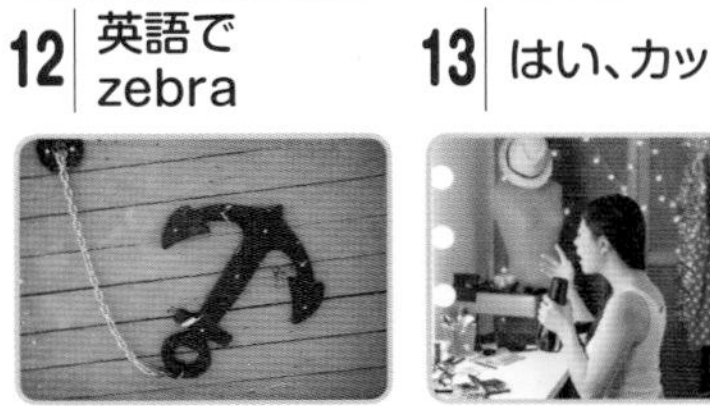

17 船場に着いたら下ろす

18 本番まで待機する場所

ヨコのカギ

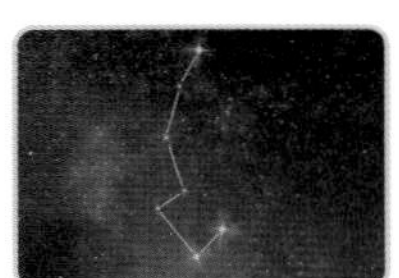

1 北極星がある「○○○座」

3 当たるかな？

5 やられた！「○○○の木馬」だ

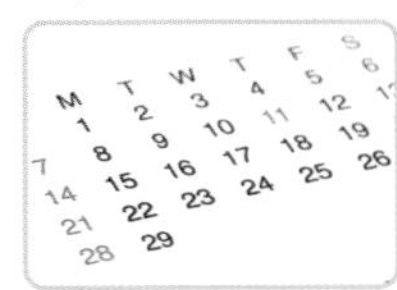

7 四連休にならなかったな……

9 屋台で定番のアメ

10 ○○黄、○○白、産○○

11 別名「八丈草」

14 横溝正史『悪魔の手○○歌』

16 別名「ゴーグル」

19 切り、蹴り、ドラム

20 洋服と合わせて履き始めた

21 刑事の仕事の一つ

22 仙台の○○○並木

渋い紳士が嗜むならコレ

連想クロス

1	2		3	■	4	■	5
■		■	6	7		8	
9			■		■		■
10		■	11		E		
■	12 A	13	■		■		■
14			15	■	16		17
D	■	18	B	19	■	20	
21		■	22	C			

答え

答えは47ページ

A	B	C	D	E

タテのカギ

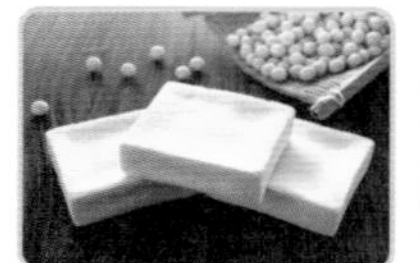
2 凍らせ、乾燥させた豆腐

3 ○○上競技

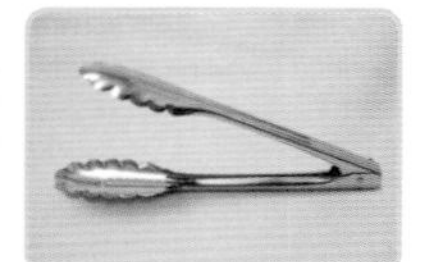
4 メロン、カレー、あん

5 火災を免れた首里城「守礼○○」

7 固体と気体の間

8 浅草の祭といえば？

9 「夏草や兵どもが夢の○○」

13 語源はフランス語

14 ハチ公は何犬?

15 富岡製糸場で飼育

17 久しぶりに帰る場所

19 ○○番電話で防犯

ヨコのカギ

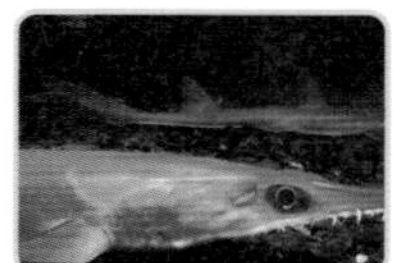
1 肉はサメの中でも上等

6 掃除でも活躍

9 「いずれ○○○か杜若」

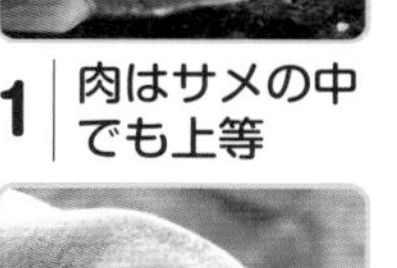
10 海洋哺乳類

11 仏語で「スープ」のこと

12 霜降り、赤身、タテガミ、何の肉？

14 ○○○○大陸の国、ケニア

16 クラクラする症状

18 「爪」を英語でいうと？

20 運動会の定番「○○引き」

21 おかきの商品名にも使われる

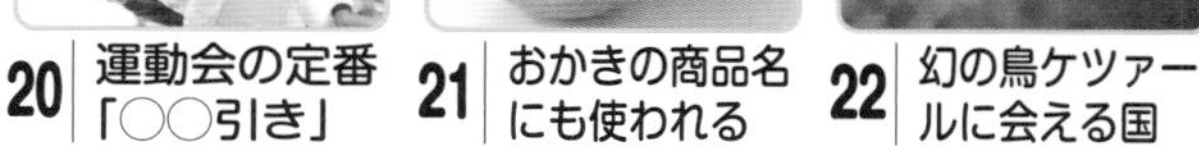
22 幻の鳥ケツァールに会える国

31

海にはこれが似合う

連想クロス

1	■	2		3	4 A	■	5
6			■	7			
	■	8				■	D
9	10		■		■	11 C	■
12	E			■	13		14
	■		■	15	■	16	
■	17				18	■	B
19			■	20			

答え 答えは47ページ

A	B	C	D	E

タテのカギ

1 南国を代表する花

2 酒宴の席にコースで出る

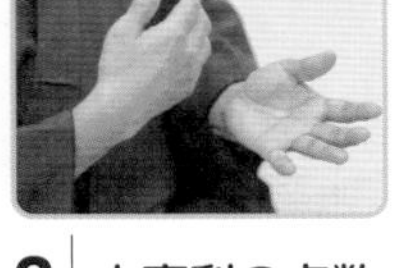
3 大喜利の点数

4 腹を探り合う「○○○戦」

5 「ネズミ」を英語でいうと？

10 松本清張『○○の器』

11 畳から漂う香り

14 歌舞伎の十八番『○○○○売』

15 ２人の○○○を祝して

17 「進め」の色

18 浮かんだアイデア

ヨコのカギ

2 髪に挿して使う

6 探偵事務所に相談に来る

7 ペンフレンドとすること

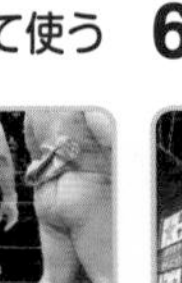
8 十両以上の力士

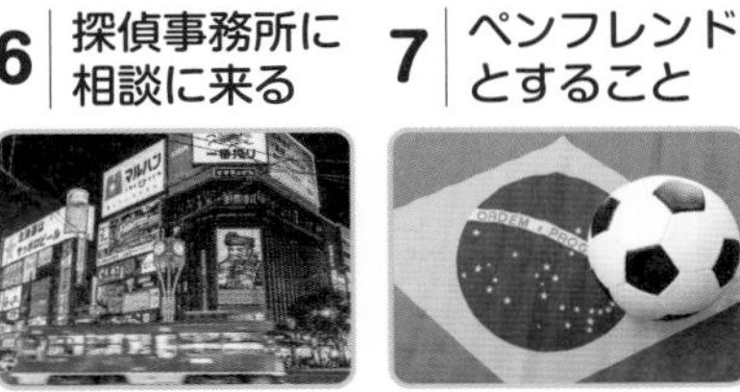

9 札幌の歓楽街「○○○の」

12 ブラジル代表「○○○○軍団」

13 縄文時代の土人形

16 ○○は投げられた

17 キャンプや登山のこと

19 着物に羽織るもの

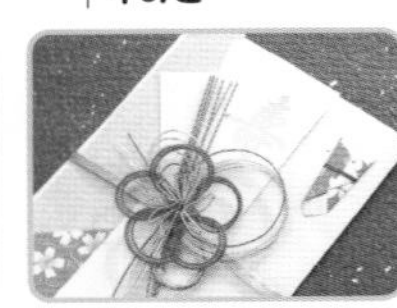
20 日本の工芸品など

32

できるなら やっておきたい

連想クロス

答え　　答えは47ページ

A	B	C	D	E

■	1	2	3	■	4	■	5 D
6				7		C	
	■		■	8	A	■	
■	9		10 B		■	11	
12		■	13		14		
■	15	16		■	17		■
18	■		■	19			20 E
21				■		■	

タテのカギ

1 願いが叶う？

2 運動会に参加

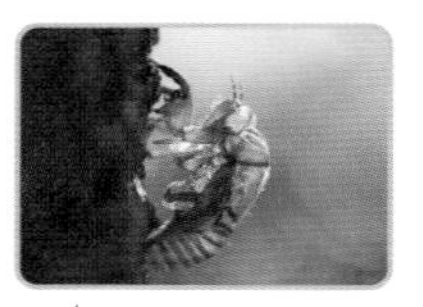

3 成虫になること

4 「金鯱城」はどこに？

5 コイン○○○○○

6 ワインを熟成させるもの

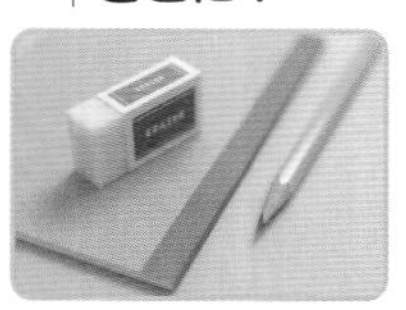

7 間違えた箇所を消す道具

9 先導すること

10 前回○○○を嘗めさせられた

11 歌のうまい女性歌手

14 「笑顔」を英語でいうと？

16 市場、店、場

18 表面だけを焼いた状態

20 「○○が合う」友達

ヨコのカギ

1 節分に「○○○巻」

6 俗に「TKG」とも

8 年とともに狭くなる

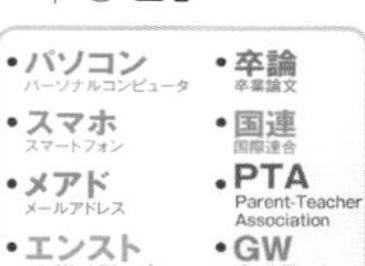

9 短くなった単語

11 「バナナの叩き○○」

12 「動物園」を英語でいうと？

13 中国語で「倉鼠」

15 太陽系 第6惑星

17 混乱した状態

19 父から一字とって……

21 警備会社に渡すもの

33

掃除もできる!便利グッズ

連想クロス

1		2	■	3	4 A		5
	■	6	7			■	
8	9	■		■	10		B
■	11		■	12		■	
13		■	14	E		15	
16		17 C		■	18		■
	■		■	19		■	20
21				■	22		D

答え

答えは47ページ

A	B	C	D	E

タテのカギ

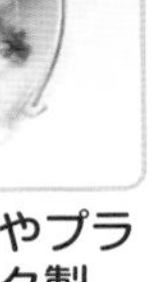

1 ブリキやプラスチック製

2 誰に感謝を表す日?

3 吸って吐く

4 地下の空洞

5 英語ではハープシコード

7 収穫物は米

9 家主はお出かけ

12 神社に像がある動物

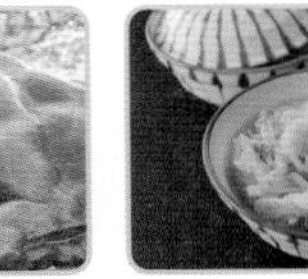

13 天ぷらの一種

14 店やビルが立ち並んでいる場所

15 火おこしにはスギ・マツ・ヒノキ

17 北条氏ゆかりの土地、金沢〇〇〇

20 朝ごはんは何派?

ヨコのカギ

1 ドイツで活躍した作曲家・音楽家

3 「耳石」が大きいことから命名

6 荒れ果てた跡をいう

8 弓に張り渡す糸

10 船の右側

11 花粉症の代名詞

12 俳句では春の季語

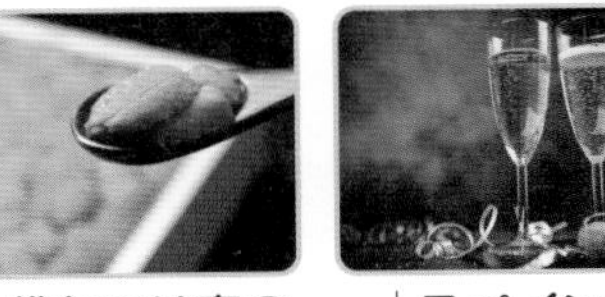

13 スペインの特定地域で生産

14 ホワイトデーのお返しとして定番

16 この色の縁取りをしていること

18 目印としても使われる漁具

19 とがった端っこの部分

21 ベートーヴェンのピアノソナタ

22 饂飩とも書く

34

一度は食べたことがある

連想クロス

答え　　答えは47ページ

A	B	C	D	E	F

■	1		2	■	3		4
5		■	6			■	
7	F	8		■	9	10	
	■		■	11			
12	13		14 D	■		■	C
15		■	16	17			
E	■	18				■	
19 A			■		■	20	B

タテのカギ

1 甘い調味料

2 和室の仕切り

3 原料は牛乳と乳製品

4 白と黒が特徴のペンギン

5 月を見ると変身する

8 歌にもある日本の春の花

10 食べたら残る

13 夏に実る野菜

14 ウニと並ぶ高級海産物

17 「米」を英語でいうと？

18 木炭ともいう

ヨコのカギ

1 がま口もその一つ

3 日本がある五大州

5 聴覚で感じるもの

6 最初の三文字

7 君主のこと

9 ○○○小説は面白い

11 「俳優」を英語でいうと？

12 職人の過程

15 ハンコを書類に

16 北欧で「海の怪物」のこと

18 ねばりのある液体

19 時間の流れを記したもの

20 食、整理、入場

二度づけ禁止!?

連想クロス

1		2		■	3		4
	■		■	5	E	■	
6			7	■	8		B
	■	9	C	10		■	
11	12		■	13			■
■	14		D	■		■	15
16			■	17		18	
■	A	■	19		■	20	F

答え

答えは47ページ

A	B	C	D	E	F

タテのカギ

1 大阪の繁華街

2 「SA」とは？

3 名前の意味は「屋根トカゲ」

4 桜島を擁する都道府県

7 雄の角は年に一回生え変わる

10 大理石の○○像

12 日本は国連の非常任○○○○

15 マスク、アンデス、夕張

17 女王は一匹だけ

18 初夏に植える

ヨコのカギ

1 沖縄の魔よけの像

3 交通系 IC カードの一つ

5 手を保護する防具

6 機械を点検する職業

8 国立公園指定の海岸

9 ミラノの歌劇場「○○○○」

11 この地形は波が穏やか

13 11月22日は記念日

14 親元から巣立つこと

16 冬に飲む人も多い？

17 井上靖『○○○○物語』

19 松田聖子『○○色の地球』

20 日本の通貨は？

ネコが喜ぶ

連想クロス

答え　　答えは47ページ

A	B	C	D	E	F

1	■	2	■	3	4		5
6				■		■	
	■		■	7		8	F
■	9		10 B		■		■
11				■	12		13
■		■	14	15	C	■	
16	■	17	■	18		19	A
20	D			E	■		■

タテのカギ

1 春の訪れネコ○○○

2 試合で勝ったらやりたい

4 和室の間仕切りの戸

5 東北発祥

7 西部劇には「○○ボーイ」

8 クラス、乗客、同窓会

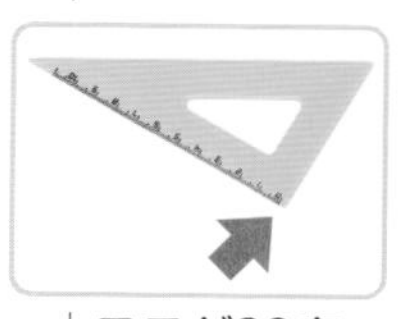

9 ここが90度です

10 アン、ナース、カーテン

12 梅にいるこの鳥は？

13 このお社のある都道府県

15 語源はロシア語

16 正月に食べるものと言えば

17 一年の災厄を断ち切る食べ物

19 ハーメルンの楽器

ヨコのカギ

3 映像に合わせて録音する

6 赤・橙・黄・緑・青・藍・紫

7 駅弁でも有名

9 鳴き声が有名

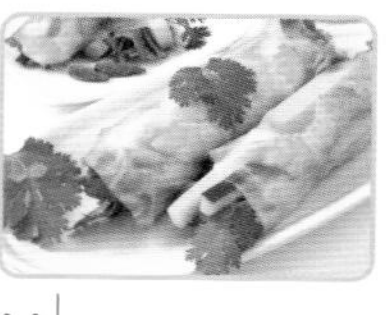

11 苦手な人も多い

12 犯人の○○○は付いている

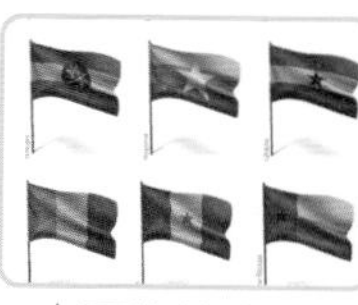

14 国旗は○○○した物が多い

18 ペリーが乗ってきた

20 縁起がいい

力士が作った料理

連想クロス

1		2	3		4		5
6	7		F		8	9	
	10	11		12			
13		14					
15	16			17		18 D	
19			20 A				21
	22	23		24 B			C
25		E				26	

答え

答えは47ページ

A	B	C	D	E	F

タテのカギ

1 雪の降る季節

3 土、寄せ、雪平

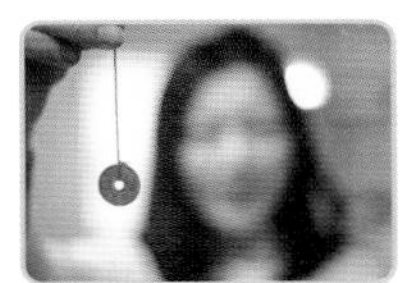
4 「だんだん眠くな～る」

5 1日何万匹もアリを食べる

7 華岡青洲は江戸時代の「○○医」

9 逢坂剛『○○の叫ぶ夜』

11 ○○○の紐が堅い

13 お盆のラッシュの原因

16 「楽しかった、○○○○学校」

17 『上を向いて歩こう』

18 亀の甲より年の○○

21 グリム童話『星の○○○』

23 商品のこと

ヨコのカギ

2 1月7日に食べる風習

6 沸騰すると出るもの

8 昔「惚れ薬」にされた両生類

10 電車で忘れやすいもの

12 漢字で「木菟」

14 ○○の日の安産祈願

15 「歯の浮くような○○○」

17 イクラの前はなんという？

19 文書に押す

20 国の位置がわかる模型

22 歌うときに見るもの

24 怪しい○○め! 何者だ!

25 出雲に神が集う旧暦10月は

26 漬けた野菜を美味しくする

痛快時代劇 連想クロス

※この2ページのみヒントがありません。
写真から連想して答えましょう。

38

答えは47ページ

タテのカギ

1

2

3

5

ヨコのカギ

1

4

6

39

答えは47ページ

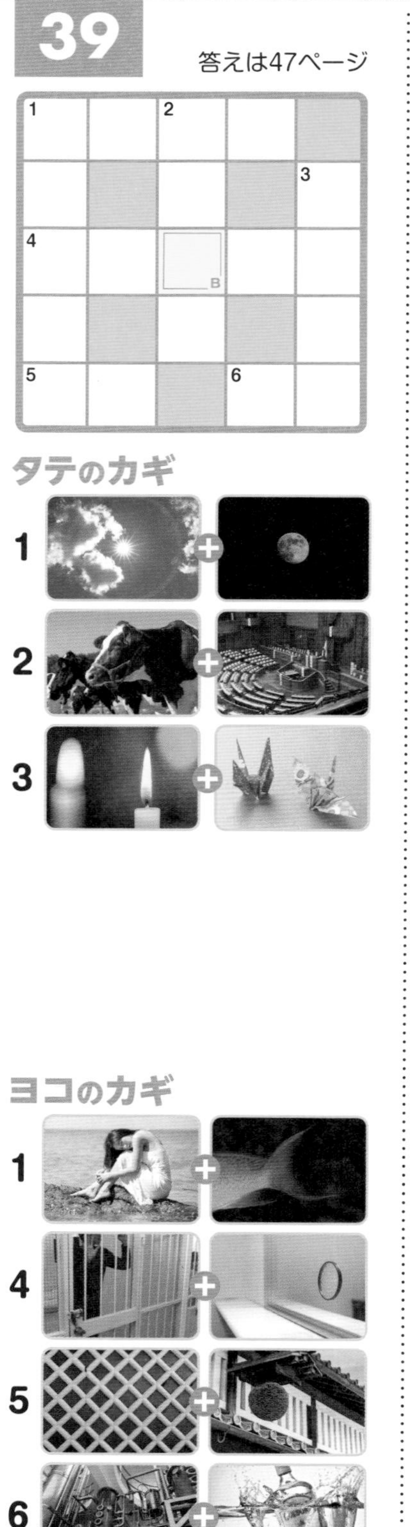

タテのカギ

1

2

3

ヨコのカギ

1

4

5

6

40

答えは47ページ

タテのカギ

1

2

3

5

6

ヨコのカギ

1

4

7

8

答え

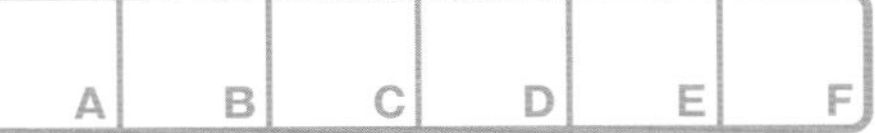

41

答えは47ページ

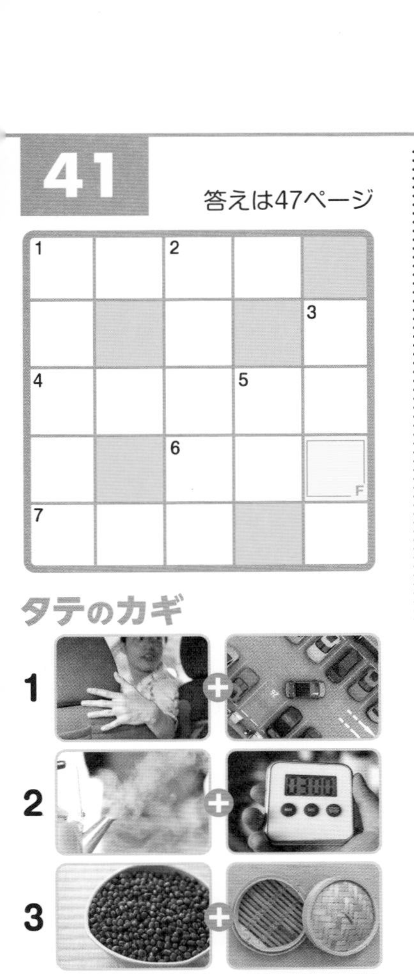

タテのカギ

1 ＋

2 ＋

3 ＋

5 ＋

ヨコのカギ

1 ＋

4 ＋

6 ＋

7 ＋

42

答えは47ページ

タテのカギ

1 ＋

2 ＋

3 ＋

5 ＋

ヨコのカギ

1 ＋

4 ＋

5 ＋

6 ＋

7 ＋

8 ＋

43

答えは48ページ

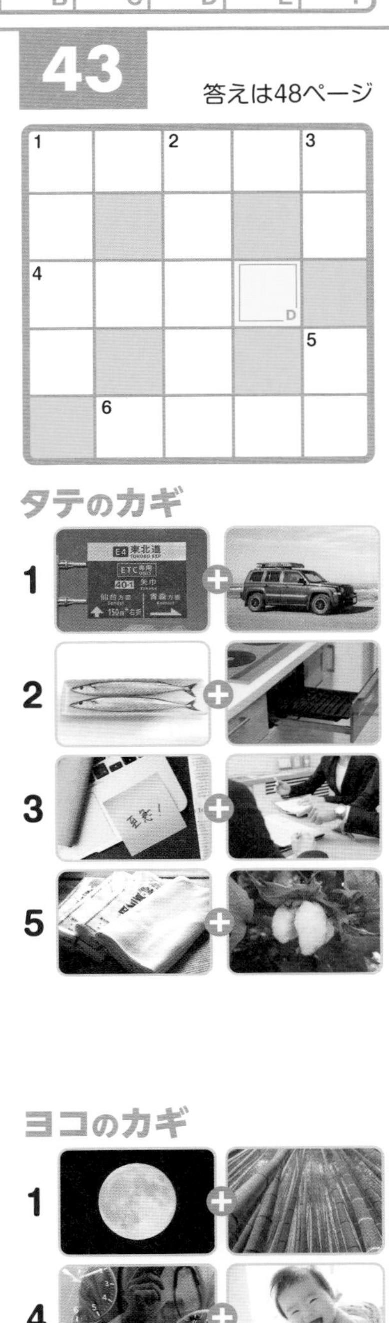

タテのカギ

1 ＋

2 ＋

3 ＋

5 ＋

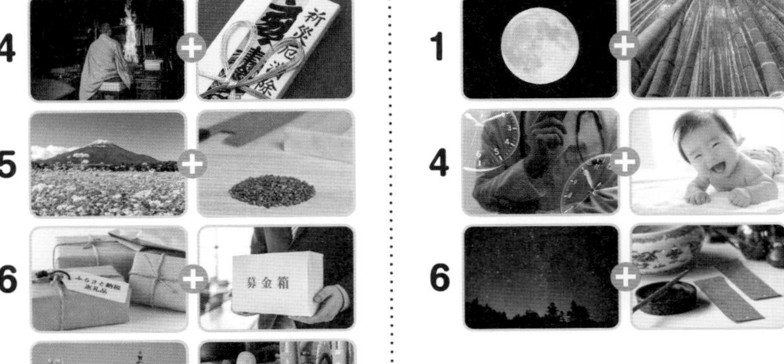

ヨコのカギ

1 ＋

4 ＋

6 ＋

44

先人たちの知恵の結晶

連想クロス

答えは48ページ

答え

A	B	C	D	E	F	G

1	2		3		■	4	5		6	■	7	■
8		■		■	9			■	10	11 E		
	■	12		13 F			■	14				■
■	15		■		■	16	17		■		■	18
19				■	20	■	21		22	■	23	
	■		■	24				■	25	26		■
27	28		29	■		■	30	31	G		■	32
33		■	34	35		36	■	37		■	38	
39			■		■	40			■	41		
■		■	42		43 A		■	44	45		■	
46		47		■	48		49 D	■	50		51	
	■	52	C	53		■	54					
55	B		■	56				■		■	57	

タテのカギ

1 家の周囲を囲う仕切り

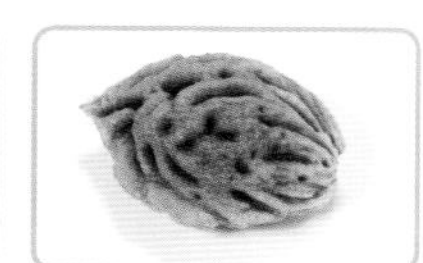
2 種に毒がある果物

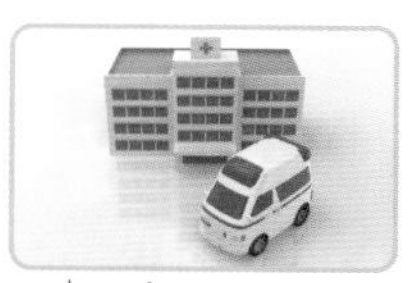
3 医師・研究者が着る服

4 家事を代行する職業

5 勢いよく飛ばすもの

6 勝敗を競うこと

7 五教科の一つ

9 胸ビレ部分の名称

11 湘南にある○○○ガ浜

12 夜行性で雑食

13 甘酢ショウガのこと

14 ○○○フルーツ

15 物を入れて運ぶもの

17 作曲に使う用紙

18 物を納めておく小屋

19 首に掛ける布

20 体が温まる食材

22 約束する

23 裏ごしするための道具

26 捕獲した動物を入れるもの

28 地表に出る氷の柱

29 ○○に刺された

31 海面が上がった状態

32 ロシアの郷土玩具

35 電気もガスもある

36 はと形の笛

38 沖縄では酒になる

41 小形のイギリスのパン

42 踏みません

43 洋服の形を整える道具

45 助走を付けて、跳び越える

46 別名は「さかまた」

47 天かすをのせたもの

49 神様を祀った小さな社殿

51 ○○○リレー

53 手と腕の身振りで指示を出す

ヨコのカギ

1 卵を産み、子は乳で育てる

4 ○○○○を推奨

8 内臓部分

9 掘り出されたもの

10 くるぶしの上

12 玄米から糠層を削ったお米

14 ラズベリーともいう

15 豚肉加工食品の一つ

16 世界の大○○○が集う

19 海軍カレーが有名

21 植物から抽出

23 おしゃれな○○

24 旅行者を泊める場所

25 パンジーより小さい

27 球を受け返すこと

30 鉄道と道路が交差する場所

33 ○○の親子

34 見返り美人の顔の角度

37 ピリ辛の○○ソース

38 鎌倉だとサブレの形が……？

39 トルコのお肉料理

40 田畑に立てる人形

41 ボールなしで振ること

42 木造の家の敵

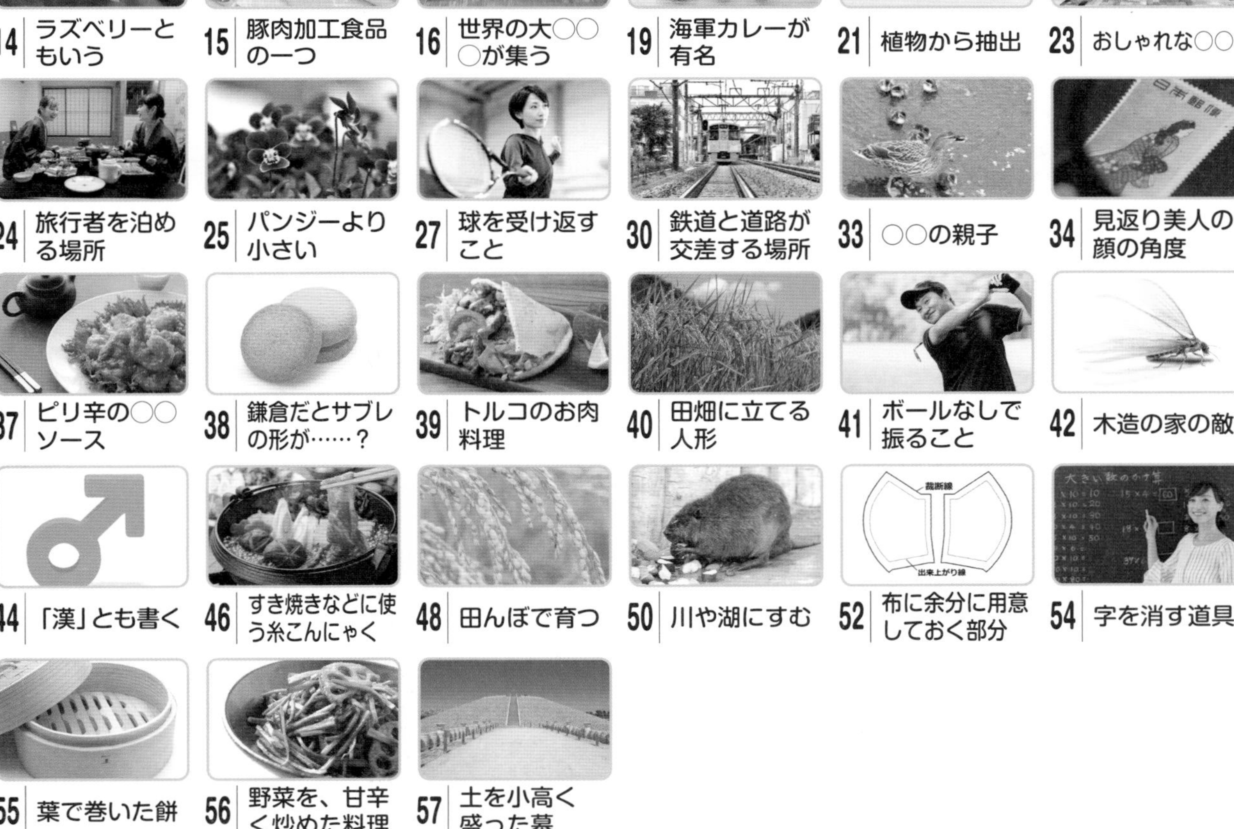

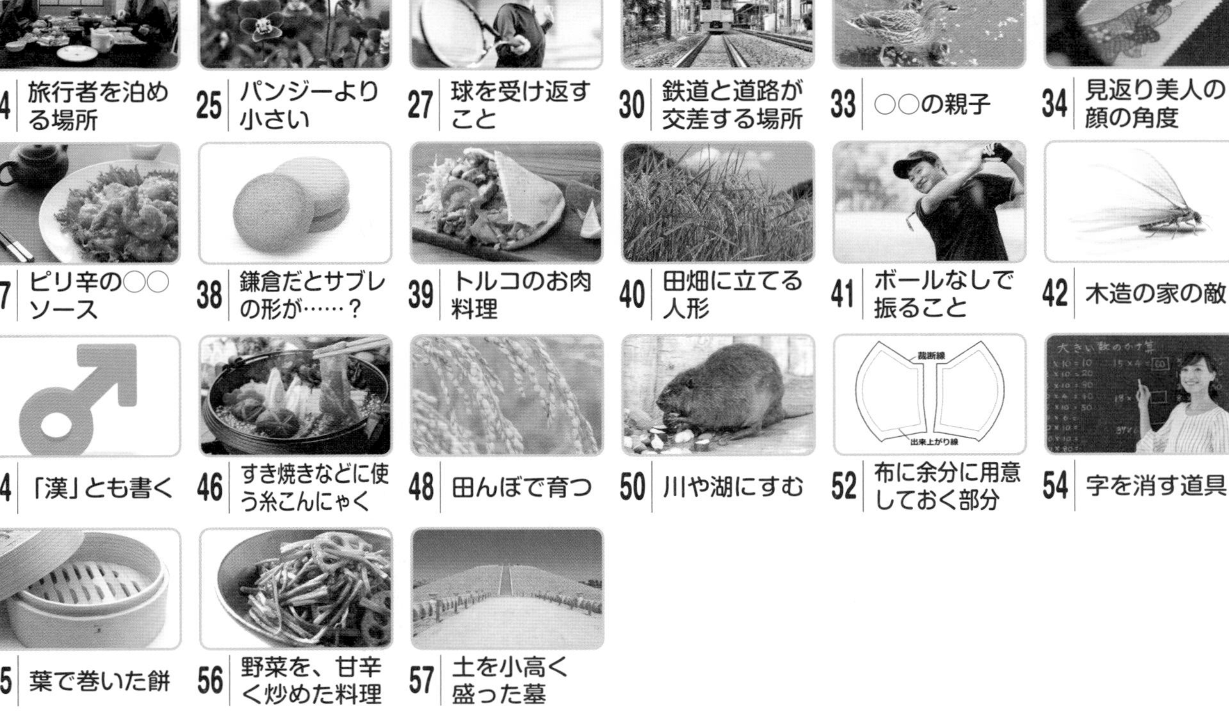

44 「漢」とも書く

46 すき焼きなどに使う糸こんにゃく

48 田んぼで育つ

50 川や湖にすむ

52 布に余分に用意しておく部分

54 字を消す道具

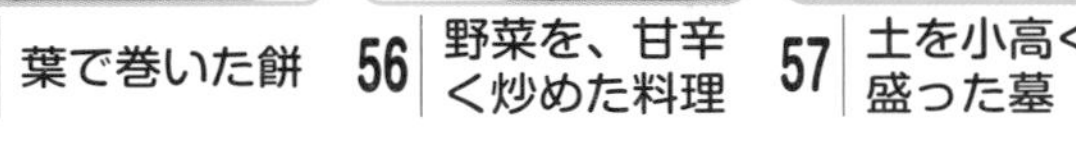

55 葉で巻いた餅

56 野菜を、甘辛く炒めた料理

57 土を小高く盛った墓

日本人が好む料理

連想クロス

答えは48ページ

答え

A	B	C	D	E	F	G	H

<table>
<tr><td>1</td><td>■</td><td>2</td><td></td><td>3</td><td></td><td>4</td><td>■</td><td>5 (D)</td><td>6</td><td>■</td><td>7</td><td>8</td></tr>
<tr><td>9</td><td>10</td><td></td><td>■</td><td></td><td>■</td><td>11 (E)</td><td>12</td><td></td><td></td><td>13</td><td></td><td></td></tr>
<tr><td>■</td><td></td><td>■</td><td>14</td><td></td><td>15</td><td>■</td><td></td><td>■</td><td>16</td><td></td><td>■</td><td></td></tr>
<tr><td>17</td><td></td><td>18</td><td></td><td></td><td></td><td></td><td>■</td><td>19</td><td>■</td><td>20</td><td></td><td></td></tr>
<tr><td></td><td>■</td><td>21</td><td></td><td>■</td><td></td><td>■</td><td>22</td><td></td><td>23 (A)</td><td></td><td>■</td><td></td></tr>
<tr><td>24</td><td>25</td><td>■</td><td>26</td><td>27</td><td></td><td></td><td></td><td>■</td><td></td><td>■</td><td>28</td><td></td></tr>
<tr><td>29</td><td></td><td>30</td><td>■</td><td>31</td><td></td><td>■</td><td>32</td><td>33</td><td></td><td>34</td><td></td><td>■</td></tr>
<tr><td>35</td><td></td><td></td><td></td><td>■</td><td>36</td><td>37 (C)</td><td>■</td><td></td><td>■</td><td>38</td><td></td><td>39</td></tr>
<tr><td></td><td>■</td><td></td><td>■</td><td>40</td><td></td><td>(F)</td><td>41</td><td>■</td><td>42</td><td></td><td>■</td><td></td></tr>
<tr><td>■</td><td>43</td><td></td><td></td><td></td><td></td><td>■</td><td>44</td><td></td><td></td><td>■</td><td>45</td><td></td></tr>
<tr><td>46 (B)</td><td>■</td><td></td><td>■</td><td></td><td>■</td><td>47</td><td></td><td>■</td><td>48</td><td></td><td></td><td>■</td></tr>
<tr><td>49</td><td>50</td><td></td><td></td><td>■</td><td>51 (G)</td><td>■</td><td>52</td><td></td><td></td><td>■</td><td>53</td><td>54</td></tr>
<tr><td>■</td><td>55</td><td></td><td>■</td><td>56</td><td></td><td></td><td></td><td>■</td><td>57</td><td></td><td>(H)</td><td></td></tr>
</table>

タテのカギ

1 一日の始まり

2 筆につけて用いる

3 休日の日は家族と過ごす

4 サスペンスの定番

5 ○○職人

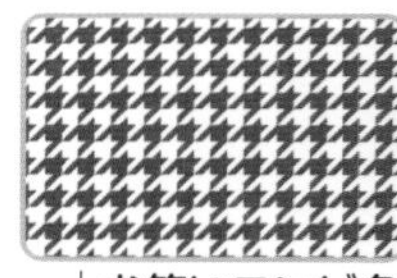
6 お笑いコンビ名としても有名

7 髪型を整える道具

8 卵とだしを混ぜて蒸す

10 砂状になった自然金

12 シメは○○焼ビビンバ

13 山で見られる自然現象

14 勢いをつけるために走ること

15 全ての駅に停車する列車

17 授業で使う教材

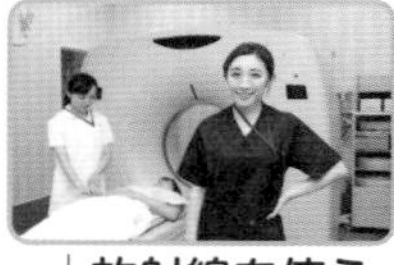
18 放射線を使う専門家

19 クロとシロがいる

22 家や農園で飼われる動物

23 芳香を持つ多年生植物

25 通常は上下セット
27 東京の旧称
28 神社の入口にある
30 レインコートの一種
33 草食性も多い
34 挟むと目印になる
37 正午以降のこと
39 城、戦車を表すチェスの駒
40 高いところで楽しむもの
41 誰も住んでいない
42 物語のタイトル
45 空港に向かう○○○○バス
46 弓矢を命中させる標的
50 3.1415……
51 心臓のこと
54 誘いを固く辞退すること

ヨコのカギ

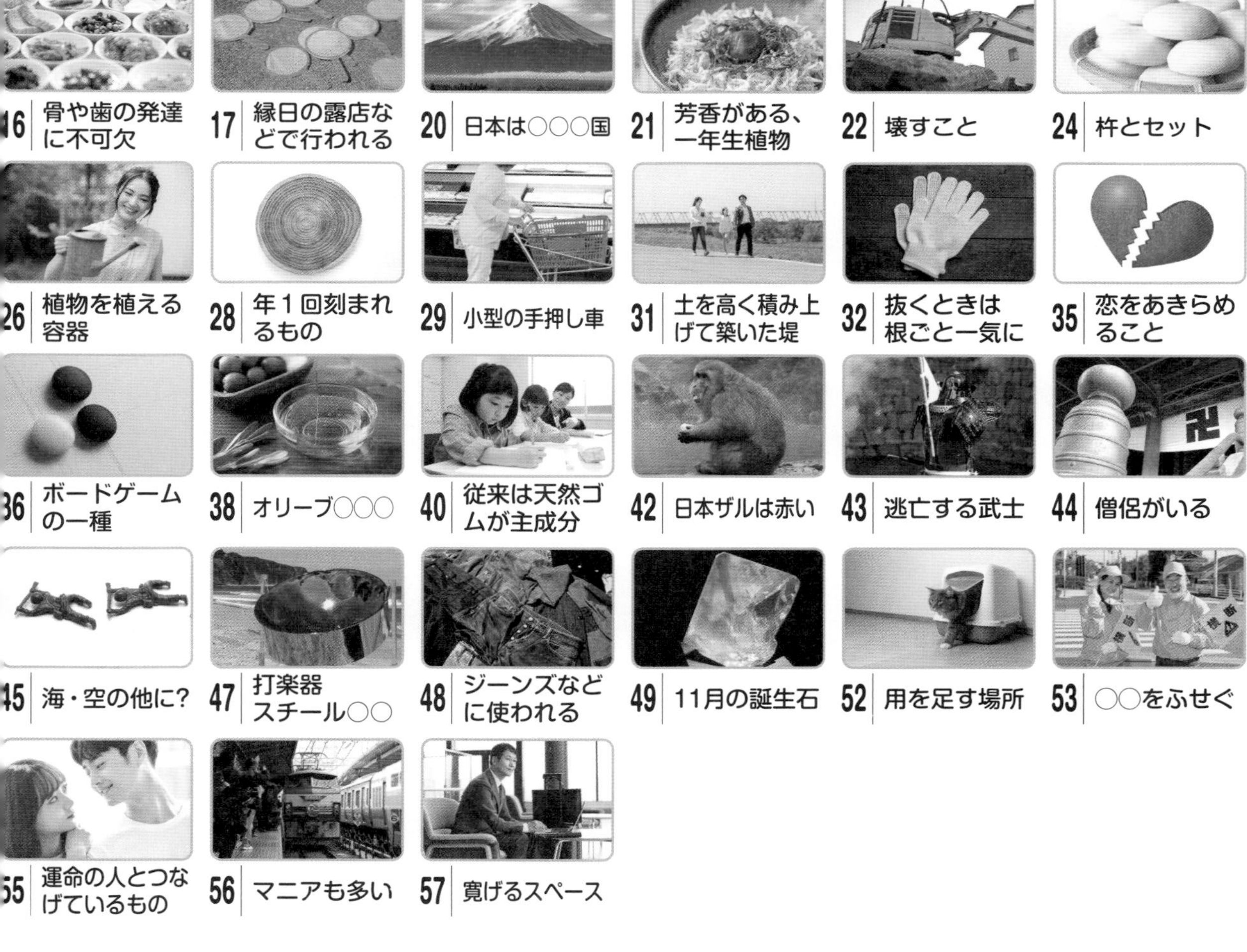

2 水と絵具で描かれた絵
5 ○○感が合う
7 笛にして使う
9 低脂肪で淡白
11 ナンバープレートは黄色地
14 耳を診てもらう場所
16 骨や歯の発達に不可欠
17 縁日の露店などで行われる
20 日本は○○○国
21 芳香がある、一年生植物
22 壊すこと
24 杵とセット
26 植物を植える容器
28 年1回刻まれるもの
29 小型の手押し車
31 土を高く積み上げて築いた堤
32 抜くときは根ごと一気に
35 恋をあきらめること
36 ボードゲームの一種
38 オリーブ○○○
40 従来は天然ゴムが主成分
42 日本ザルは赤い
43 逃亡する武士
44 僧侶がいる
45 海・空の他に?
47 打楽器スチール○○
48 ジーンズなどに使われる
49 11月の誕生石
52 用を足す場所
53 ○○をふせぐ

55 運命の人とつなげているもの
56 マニアも多い
57 寛げるスペース

愛を込めて贈ります

連想クロス

答えは48ページ

答え

A	B	C	D	E	F	G	H	I

1	2		3	4	■	5 (I)	6	7	■	8	9	
■		■	10 (A)		11 (E)	■	12		13			■
14		15	■	16		17		■		■	18	19
	■	20	21	■	22		■	23	■	24		
25				26	■	27	28		29		■	
(D)	■		■	30	31	■		■		■	32 (H)	■
33	34	■	35		(B)	36	■	37		38		39
■	40		■		■	41	42		■		■	
43		■	44		45	■	46 (G)			■	47	
48		49		■	50	51	■		■	52		■
■	53		■	54	■	55						56
57	■	58			59	(C)	■		■		■	
60			■	61				■	62	(F)		

タテのカギ

2 庭や鉢などに植える

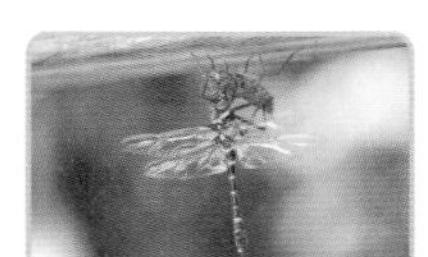
3 トンボは水辺で行う

4 どん底の気持ち

6 ヒノキが多い

7 人生○○ありゃ苦もあるさ

8 掲げる未来の目標

9 生きた時代

11 風邪のときに食べたい

13 12ヶ月未満の羊の肉

14 声変わりする期間

15 フレームともいう

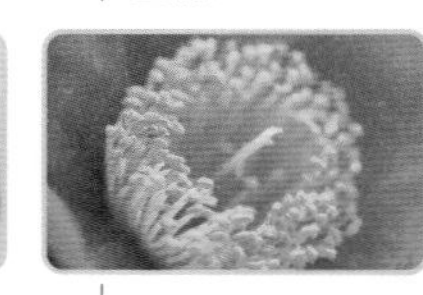
17 花の中心にある

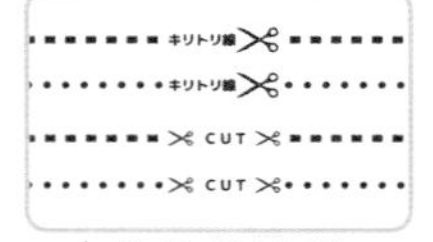

19 ○○○目が入っている

21 結った髪型

23 刀を入れる

24 エジプトの○○ンカーメン

26 唇の跡

28 チヂミには必須の野菜

29 河川の上流域などに生息

31 人生の年輪

32 「百舌」と書く

34 このマークが表すものは

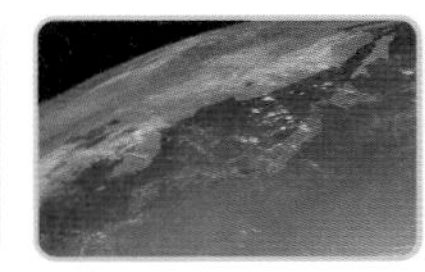
36 海じゃない部分

37 パン作りに必要

38 殻をかじって食べる

39 最後の工程

42 紫みを帯びた青色

43 国内最後の生息地

44 手紙の別の言い方

45 会社のイメージを形にしたもの

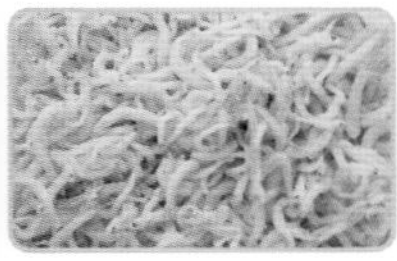
47 イワシの子どもの状態

49 国宝の東大寺の坐像

51 ○○○○の上の魚

52 オスは鮮やかな羽を持つ

54 百足と書くほど足が多い虫

56 お酒を飲む前に飲むと良い

57 犯人の別の言い方

59 あきらめて投げるもの

ヨコのカギ

1 「ラッピング」するための紙

5 草などが生えた広い場所

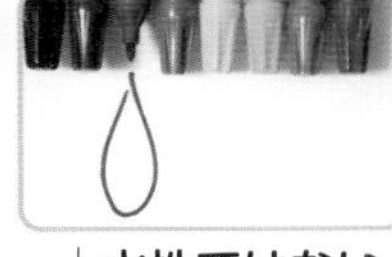
8 水性ではないペン

10 一本釣り

12 晩秋から年末に出回る花

14 建築物や洞窟に書かれているもの

16 内視鏡検査のこと

18 気がついたらたまる

20 疲労感があると現れる

22 固体、液体がある

24 春の訪れ

25 西部開拓時代を舞台にした映画

27 木の丸太を剥いて作った薄い板

30 日本食ブームの一つ

33 貴重品をしまう箱の木材

35 ゴッホも描いた花

37 お稲荷さんとも呼ばれる

40 頭の上にあるもの

41 テレビ番組を撮影する団体

43 ○○銭箱にお金を入れる

44 紙、ビニール、布など様々

46 品目や数字を書き出したもの

47 韓国の鍋料理

48 薬草としての効能が高い

50 白と黒がある

52 ハンマーなどで打ち込むもの

53 点を取るために通過する場所

55 錠の一種

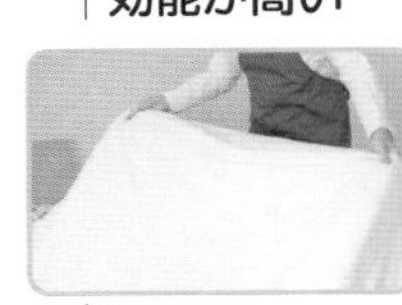
58 展示などを行う一大イベント

60 敷き布団の上に敷くもの

61 ○○○○数字

62 詰襟の学生服

人生で一度はやってみたい

連想クロス

答えは48ページ

答え

A	B	C	D	E	F	G	H	I

1		2		3	4	■	5		6	7	■	8
	■	G	■	9				■	10		11	
12				■		■	13	14		■	15	I
	■		■	16								■
■	17	■	18			■	19 D			■	20	21
22					■	23 C	■		■	24	■	
■		■	25				26	■	27			
28	■	29	■		■	30			■		■	
31	32			■	33	■		■	34		35	■
■	36		■	37		38		39	E	■	40	41 A
42	■	43	44		■		■		■	45	■	
46	47 H			■	48	B	49	■	50			
■		■	51		■	52			■	F	■	

タテのカギ

1 強行日程の○○○○ツアー

2 駆除にはこれ

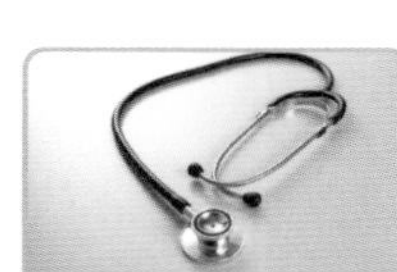

3 患者を診察する職業

4 琉球古武術の武器

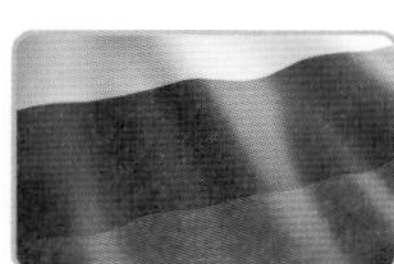

5 代表作は『戦争と平和』

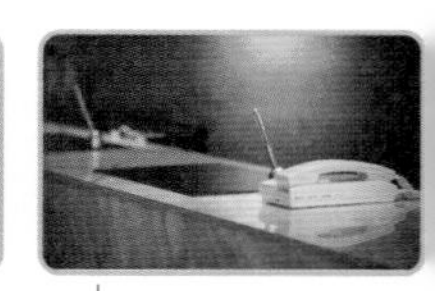

6 働く従業員

7 ○○職人

8 底が平らで、鼻緒がある

11 地下空間

14 大型の高級乗用車

16 初春の風物詩

17 ○○○のしっぽきり

18 プラムともいう

21 インターネットに接続する装置

23 暖房にも調理にも使える

24 記録に挑戦！

26 寸前で止めること

28 地中に打ち込む

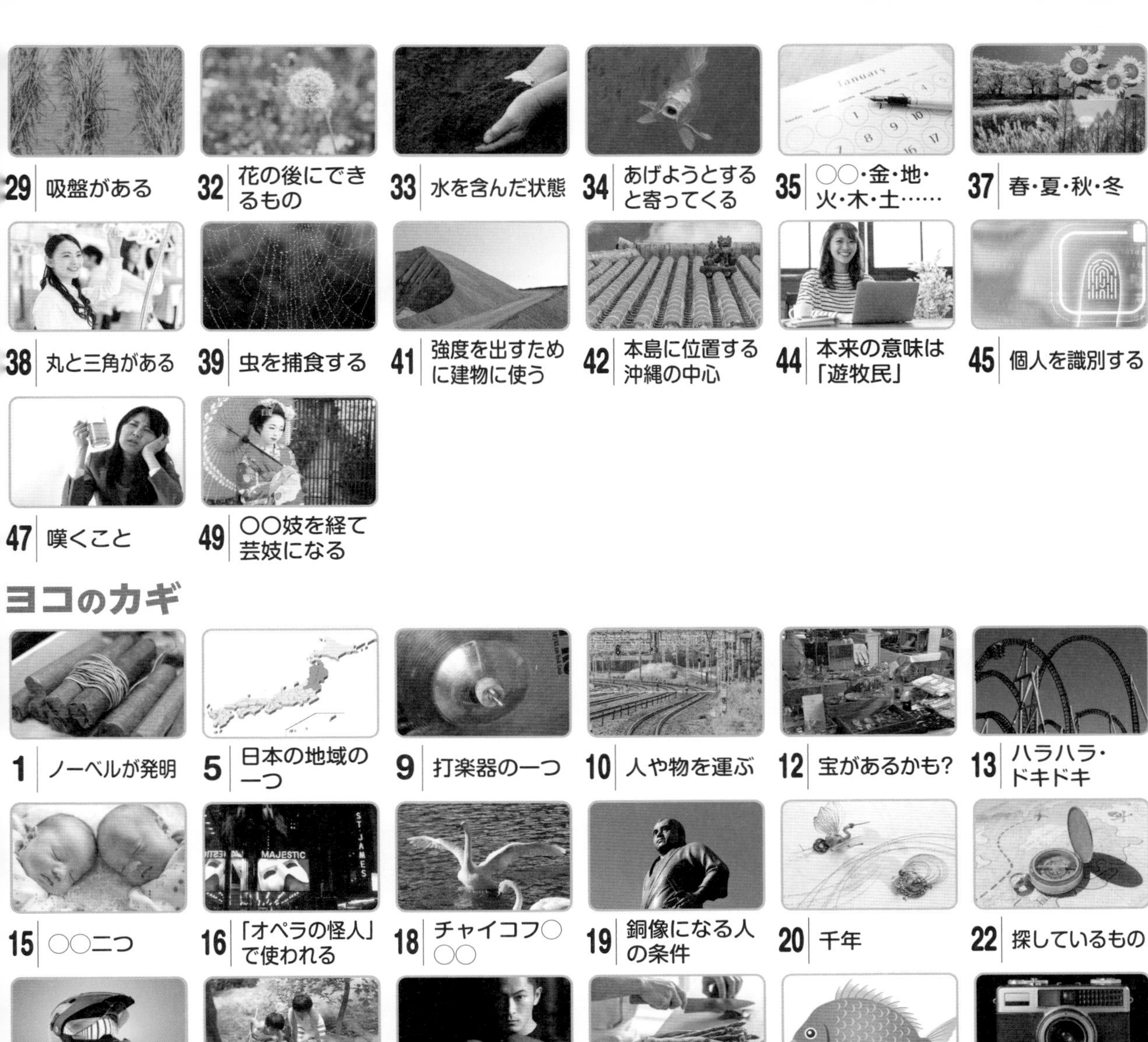

29 吸盤がある
32 花の後にできるもの
33 水を含んだ状態
34 あげようとすると寄ってくる
35 ○○・金・地・火・木・土……
37 春・夏・秋・冬

38 丸と三角がある
39 虫を捕食する
41 強度を出すために建物に使う
42 本島に位置する沖縄の中心
44 本来の意味は「遊牧民」
45 個人を識別する

47 嘆くこと
49 ○○妓を経て芸妓になる

ヨコのカギ

1 ノーベルが発明
5 日本の地域の一つ
9 打楽器の一つ
10 人や物を運ぶ
12 宝があるかも?
13 ハラハラ・ドキドキ

15 ○○二つ
16 「オペラの怪人」で使われる
18 チャイコフ○○○
19 銅像になる人の条件
20 千年
22 探しているもの

25 コースで順位を競う
27 世界に約1500種類生息
30 通常は正方形
31 料理人の別称
34 七福神の一人
36 焼き増しする

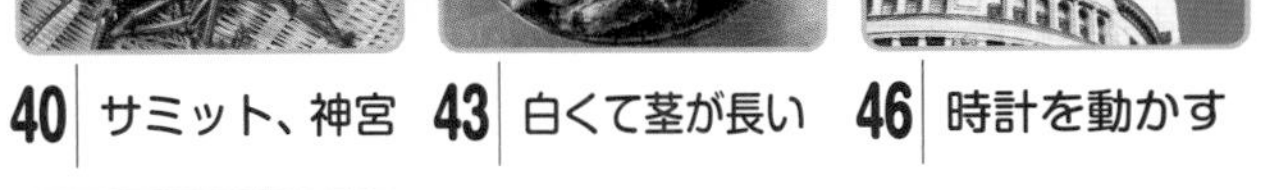

37 春から秋にかけて咲く
40 サミット、神宮
43 白くて茎が長い
46 時計を動かす
48 洋装で言えば「ズボン」
50 遠隔操作

51 縄文時代などに使われた容器
52 「醸造酒」に分類

生きた宝石

連想クロス

答えは48ページ

答え

A	B	C	D	E	F	G	H	I	J

1	■	2		3	■	4	■	5	6	7		8
9			■	10	11 G			■	12		■	
	■	13	14	■	15		■	16			17 J	
18	19			20	■	21		F	■	22		■
■		■	23		24		■	25	26			27
28			■	29			30	■		■	31	
32	H	■	33	E		■	34	35		36	■	
	■	37		I	■	38			■	39	40	
41	42	■		■	43		■	44				■
45					■	46	47	B	■		■	48
■		■		■	49 A	■	50		51	■	52	
53		54	■	55				■	56	57	■	
	■	58		D		■	59	C				

タテのカギ

1 朝、降りている水滴

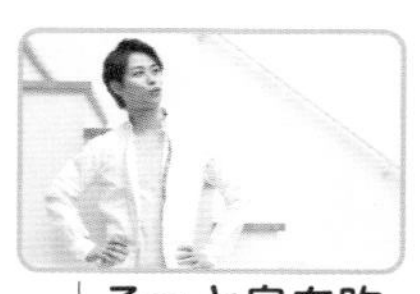

2 そっと息を吹いて出す

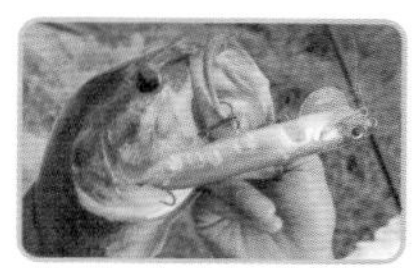

3 ブラックバス釣りの場所

4 人を描いた絵のこと

6 赤と黄色がある

7 節句に食べるもの

8 得難い爽快感を味わえる

11 戦いの最後の砦

14 カナダ 10ドル○○○

16 日本のものが人気

17 コスプレなどで着るもの

19 この形を何という？

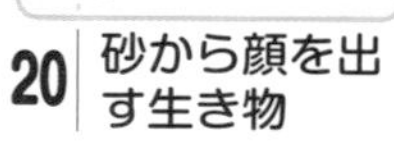

20 砂から顔を出す生き物

24 強さの証

26 ブランケットとも呼ぶ

27 有名な絵師は葛飾北斎

28 センサーに触れると開く

30 アニメやゲームが好きな人のこと

33 マルゲリータは王道メニュー

35 演歌の歌詞にも

36 マッサージ効果も

38 ○○○探索

40 昔はガラス

42 手や指を守る

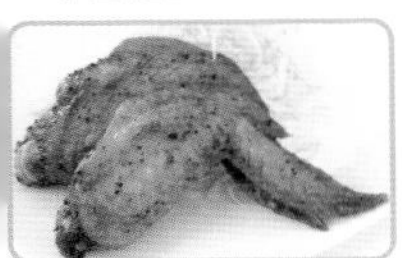

47 甘辛いタレがやみつき

48 ペットとしても人気

49 潮干狩りといえば

51 日本語が英語になった単語

53 11月〜5月は禁漁

54 願いを書く木製の板

55 ○○子ともいう

57 盛り付けの彩りに不可欠

ヨコのカギ

2 京野菜の一つ

5 人気の高いシャイン○○○○○

9 制限する権利のない土地

10 歌舞伎ではくまどり

12 機械で採掘するもの

13 戦うための道具

15 ハイの反対

16 フレンチで煮込み料理に使う洋酒

18 大人から子どもまで楽しめる場

21 地域で具材や味が変わる

22 本番前の模擬試験

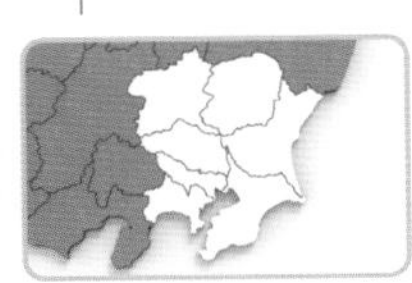

23 ○○○○地方

25 アイデアを書き留めるもの

28 映画で表示される文字

29 観賞用として楽しむ夏の花

31 釣りの道具

32 驚いたときの鼓動の表現

33 家族で帰る場所

34 夏ごろ発生する自然現象

37 同時期に生まれた二人の子ども

38 魚肉練り製品の一つ

39 イネの苗を植えること

41 名古屋名物○○煮

43 矛とセット

44 流星の燃え残り

45 豆腐を油で揚げたもの

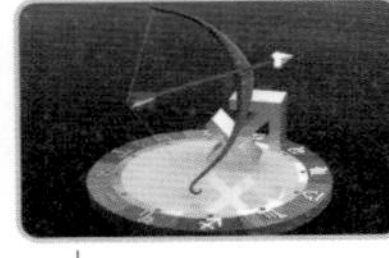

46 十二星座の一つ

50 蓋のあるものとないものがある

52 ロンドンでは二階建て

53 炎症を抑えるといわれる植物

55 人気の観光地

56 日本全国で栽培

58 金太郎が担ぐもの

59 細い肩紐の女性用の服

お花見のアイテム

連想クロス

答えは48ページ

答え

A	B	C	D	E	F	G	H	I	J

1		2		3	4		5	6	7		8 F	9		10
				11		12		13		14				
15	16 E				17					18	19		20	
	21			22				23	24				25	26
27		28	29				30		31	32		33		
34	35			36 J		37				D		38	39	G
			40						41		42			
43		44						45						46
	47				48		49		A				50	B
51			52	53			54			55 C				
		56		57			I		58				59	
60			61				62	63				64		
65		66		67		68		69			70		71	
72				73	74		75			76			77	78
		79					80		H		81			

タテのカギ

1 春に行う一大イベント

2 四国内で最長

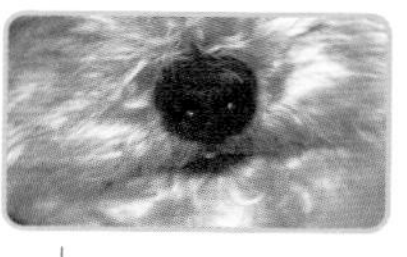

3 嗅覚が発達

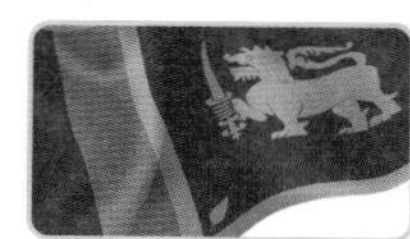

4 この旗の国

6 Lで表す

7 補佐する役割

9 語源は鳥

10 花言葉は「愛情」

12 こぶしをきかせる

14 社会性が強い動物

16 相互作用

19 有名な地域

20 足に身につける

24 草花から分泌

26 赤色が特徴的

27 ドライバーで締める

29 儀式

30 装甲が施された車体

32 停止を行う装置

33 愛情を示す

35 働きながら勉強する学生

36 整備に使う

37 夫婦で使うもの

39 手当てする

41 熱中する人

42 予防接種で使うもの

44 つい見てしまうテレビ○○

45 特別天然記念物

46 最後の日

48 等しいこと

49 メキシコの街の名前

50 思い出になるもの

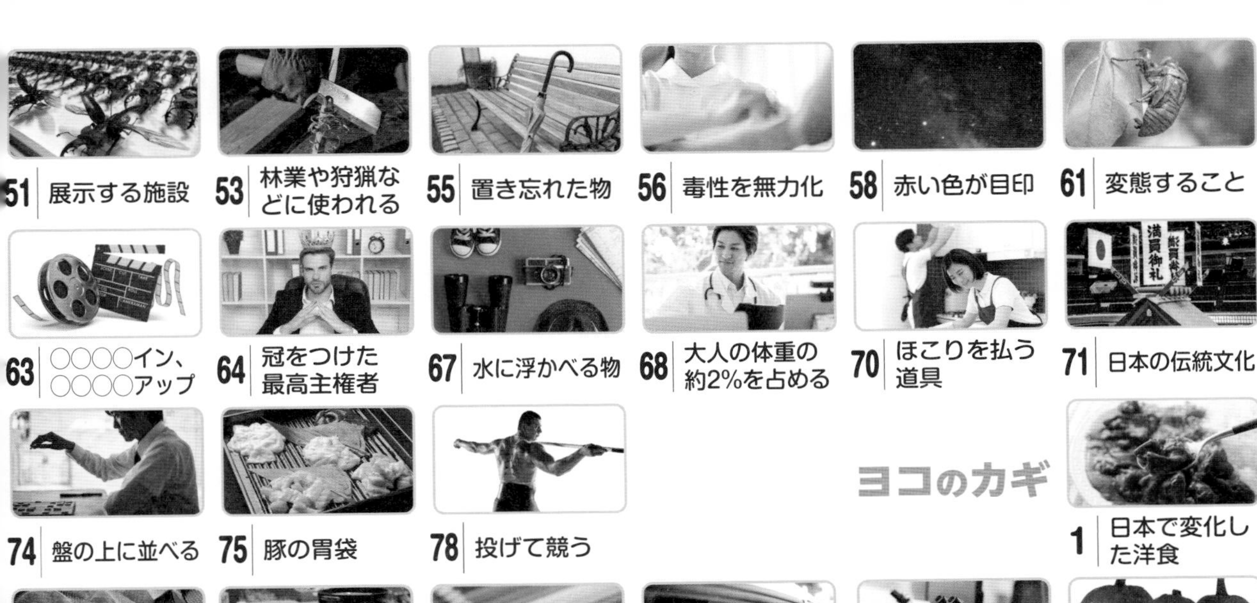

51 展示する施設
53 林業や狩猟などに使われる
55 置き忘れた物
56 毒性を無力化
58 赤い色が目印
61 変態すること
63 ○○○○イン、○○○○アップ
64 冠をつけた最高主権者
67 水に浮かべる物
68 大人の体重の約2%を占める
70 ほこりを払う道具
71 日本の伝統文化
74 盤の上に並べる
75 豚の胃袋
78 投げて競う

ヨコのカギ

1 日本で変化した洋食

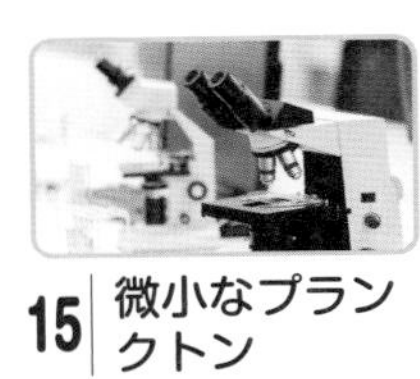

5 適当な大きさの状態
8 炒めて作る麺
11 輪郭だけある
13 探偵が行う行動
15 微小なプランクトン
17 照明器具

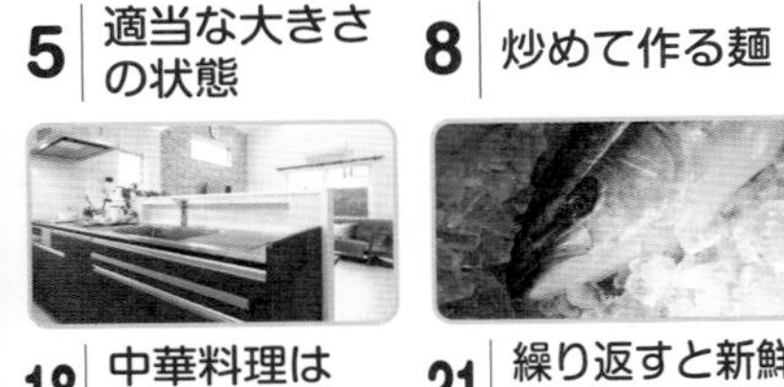

18 中華料理は切り株
21 繰り返すと新鮮さを表す方言
22 火山活動
23 果実は食用
25 高層○○、オフィス○○
28 険しい急斜面

31 ひとりごと
34 屈伸運動
37 食材自体が希少
38 雪国では体育の授業でも
40 白と黒がある
41 パレード・行進曲

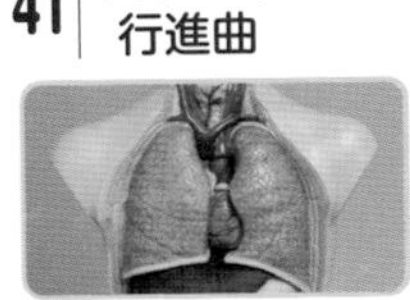

43 桜桃とも呼ぶ
45 手の爪に
47 中世の○○○
48 室内を装飾するもの
50 表情を表す場所
51 2つある

52 挽いた粉
54 汁物にもなる
55 ヨーロッパの街並み
57 アメリカの感謝祭にはこれ
58 貨物を輸送
59 発酵食品

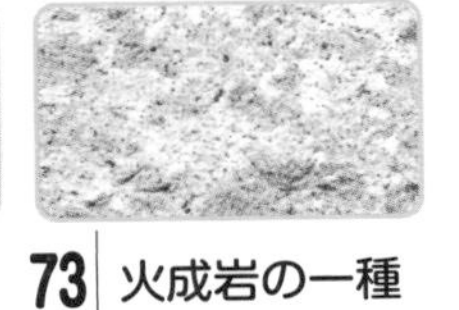

60 織田信長、豊臣秀吉……
62 すべり落ちること
66 鳥を操る伝統的な漁法
69 立ち見中心
72 煮炊きするための設備
73 火成岩の一種

76 英語でivy
77 霧より薄い自然現象
79 ヒモを引くと……？
80 ぼうしの形をして生える
81 インド原産

忍者屋敷はこういう場所！

連想クロス

答えは48ページ

答え

A	B	C	D	E	F	G	H	I	J

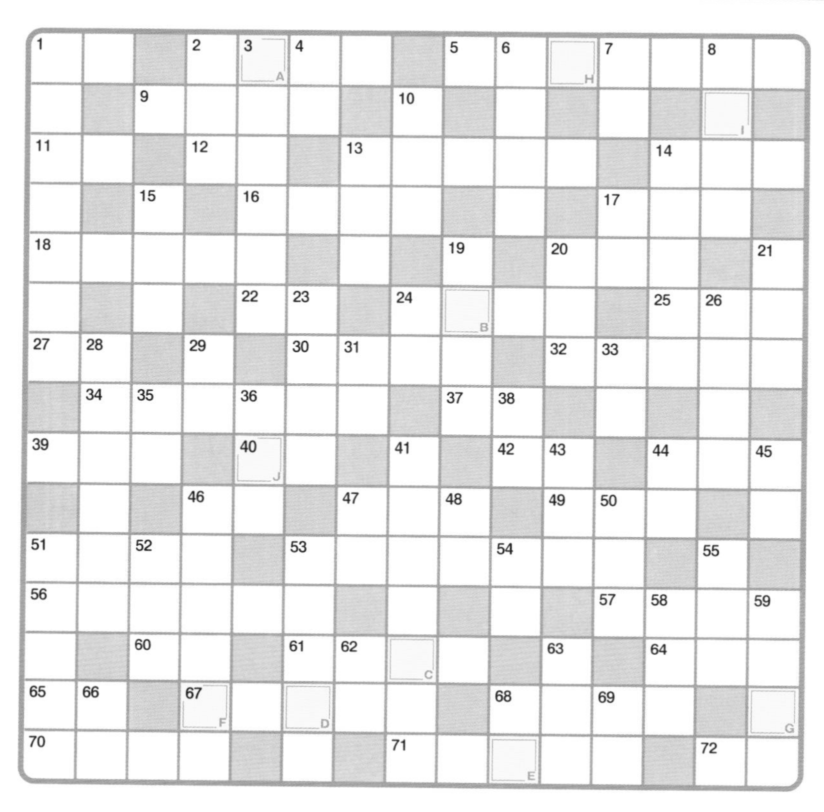

タテのカギ

1 コレを使った劇

2 主産地は北海道

3 白カビタイプの一種

4 演奏者と○○者

6 国内では沖縄や宮崎が有名

7 縁のある花

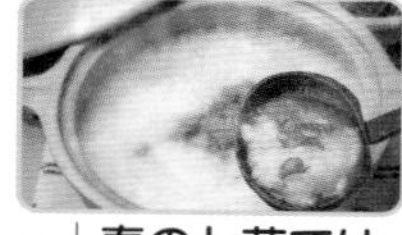

8 春の七草では“すずしろ”

10 使う道具

13 ○○○ハンバーグ

14 原材料は沖縄県産が有名

15 つかまると楽に歩ける

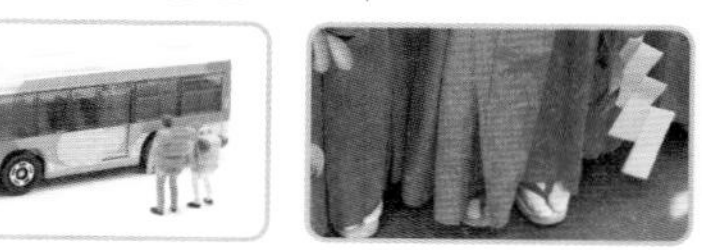

17 ○○の装束

19 北海道では「ザンギ」と呼ぶ

20 昔はご馳走

21 ボルトを外すのに欠かせない

23 冬に咲く福井県の県花

24 出世魚とも呼ばれる

26 つい探してしまうもの

28 木材の床材

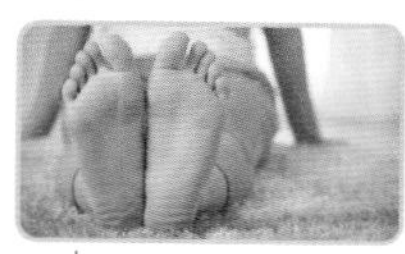

29 押すと痛い

31 どこの国？

33 キラキラ光る

35 磨きます

36 観賞用、造園が目的

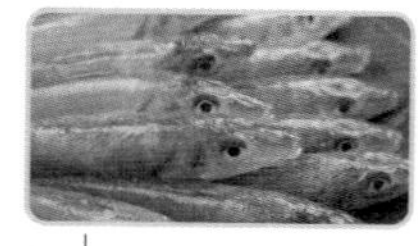

38 天ぷらが人気

41 寒い場所に生息するクマ

43 犯人探しの活動全般

44 腹部のあたり

45 ここから入る

46 海中に潜る船

47 命中させる

48 最後の一人

50 広島では饅頭が有名

51 お客様を迎える場所

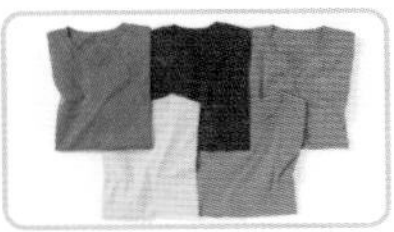

52 リレーで運ぶ

53 英語で内面を意味する言葉

54 洋風の浴槽のこと

55 戦場で使う武器の代名詞

58 「凧」を英語でいうと？

59 有名な子どもの姿をした像

62 飛ぶ音

63 尾崎紅葉の名著『金色○○○』

66 鳴きの一種

68 原料になる魚

69 料亭などの屋号にも

ヨコのカギ

1 休日は○○イジリ

2 プランクトンの大量発生

5 景色を見るポーズはこれ

9 幼魚に出る模様

11 織田信長の発展させた城

12 79番

13 新潟県で品種改良

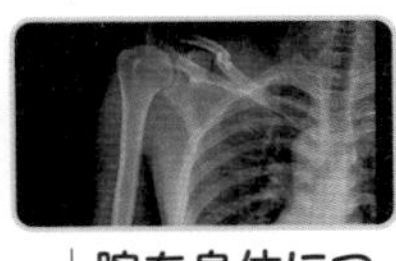

14 腕を身体につなぎとめる

16 巻きつけて焼く

17 手では火傷しちゃうから……

18 北海道も有名

20 香りを楽しむ

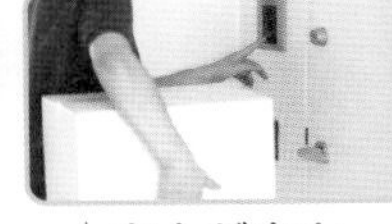

22 家人が家を空けている

24 吊るした構造の遊具

25 大河ドラマ「○○○がくる」

27 対局の記録

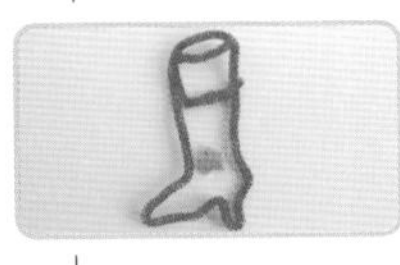

30 形が似ている

32 粉が原料の○○○○○

34 星形多角形

37 台本に従って進行

39 得点を競うゲーム

40 人と人との繋がり

42 着物の下のほう

44 ○○○焼き

46 決められた場所

47 運動するときに下に敷く

49 寝具としても用いられる

51 国が定めた定義がある

53 縫製道具の一つ

56 あんこになると？

57 足元

60 軟体動物の一種の総称

61 寒いときにはめる

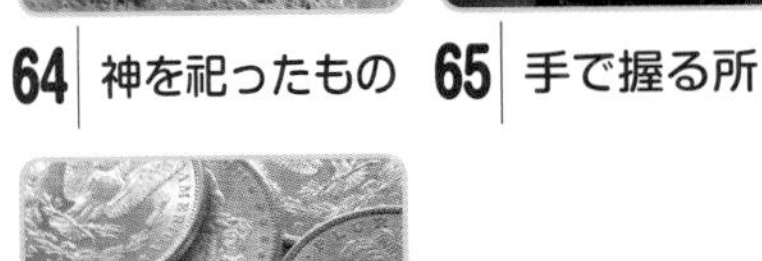

64 神を祀ったもの

65 手で握る所

67 氷上のスポーツ

68 歩くと残る

70 おもしろく話す技術

71 パイを使って勝負

72 金と並んで称される

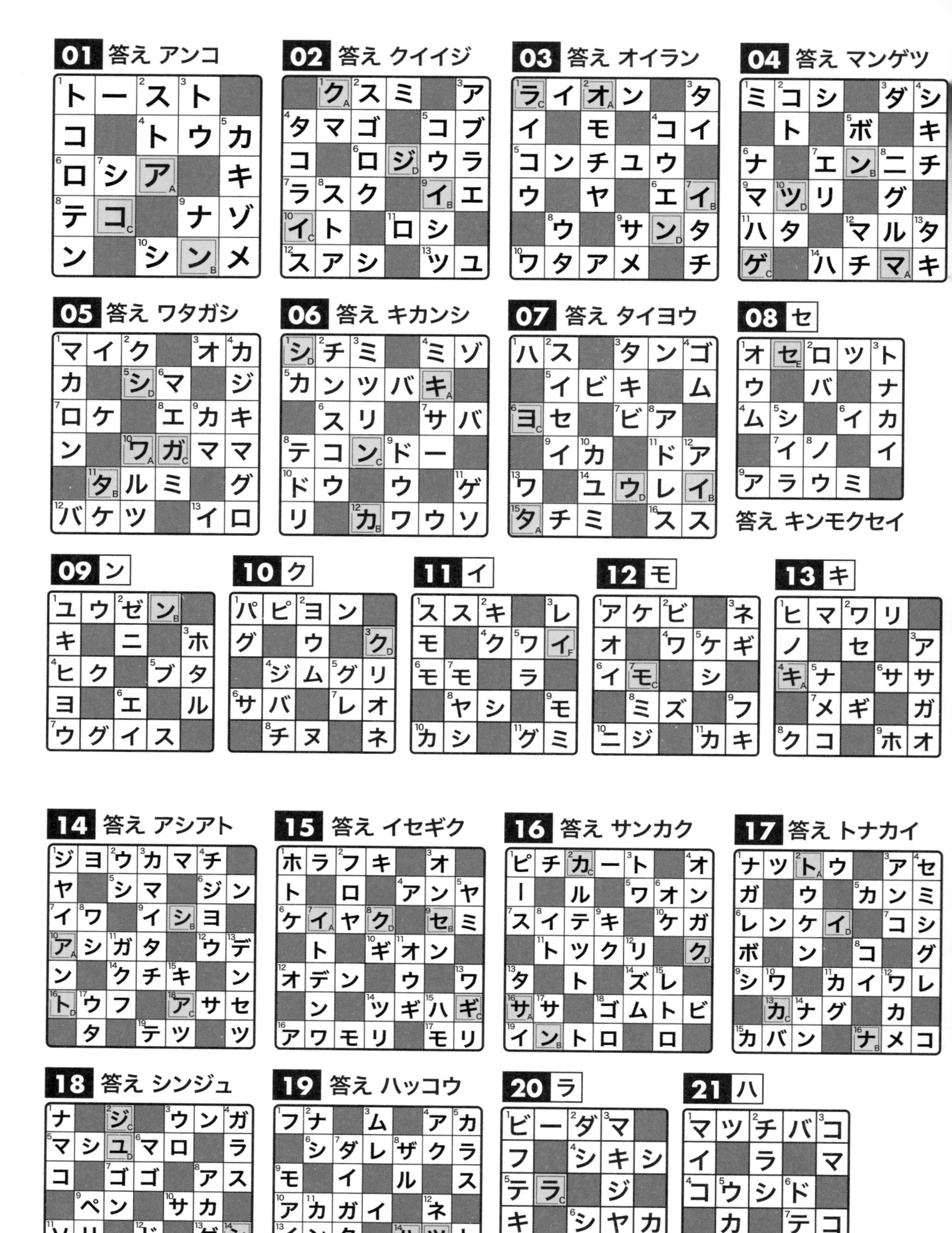
01 答え アンコ
02 答え クイイジ
03 答え オイラン
04 答え マンゲツ
05 答え ワタガシ
06 答え キカンシ
07 答え タイヨウ
08 セ
答え キンモクセイ
09 ン
10 ク
11 イ
12 モ
13 キ
14 答え アシアト
15 答え イセギク
16 答え サンカク
17 答え トナカイ
18 答え シンジュ
19 答え ハッコウ
20 ラ
21 ハ
答え ハクランカイ

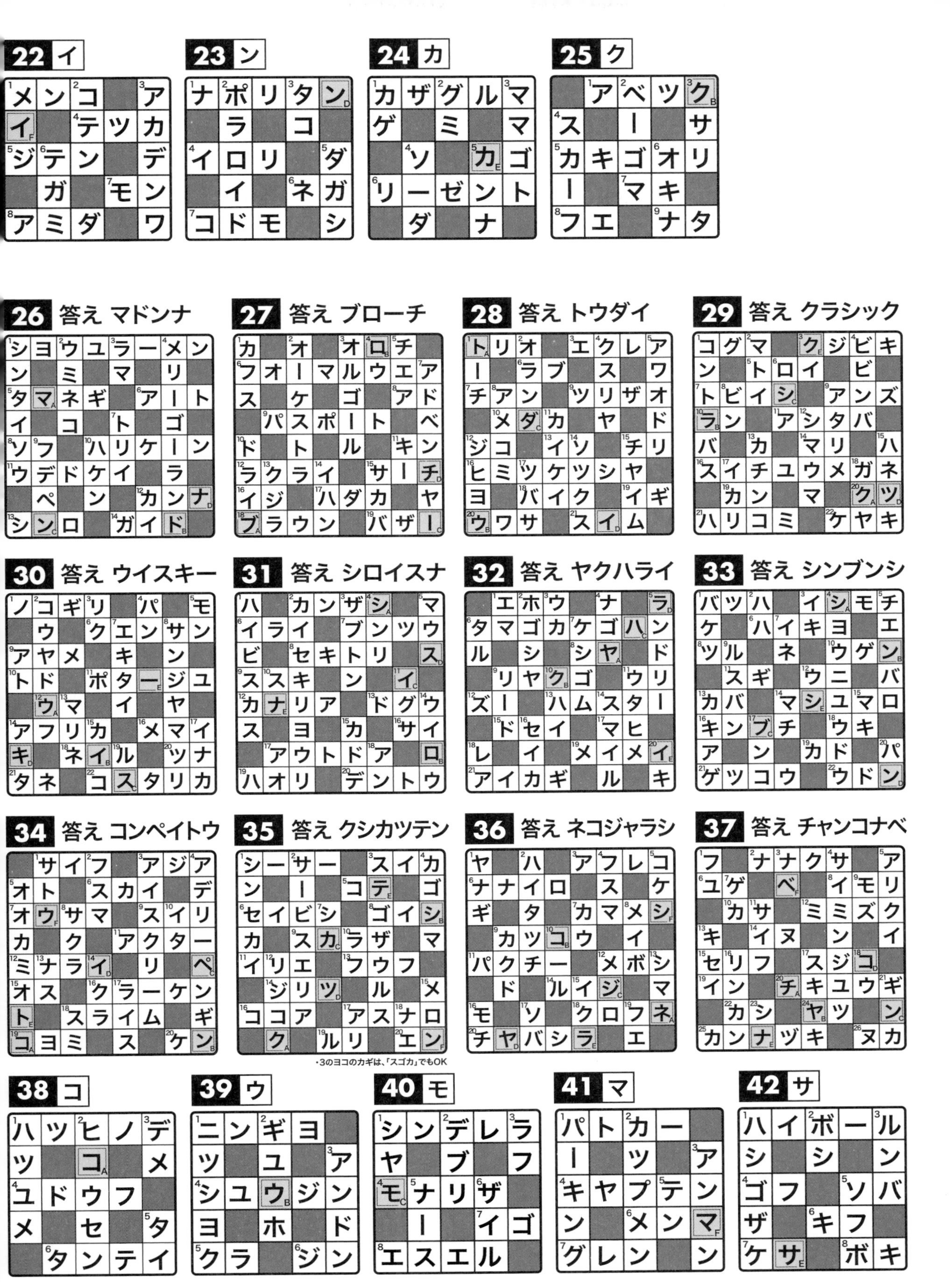
22 イ
23 ン
24 カ
25 ク
26 答え マドンナ
27 答え ブローチ
28 答え トウダイ
29 答え クラシック
30 答え ウイスキー
31 答え シロイスナ
32 答え ヤクハライ
33 答え シンブンシ
34 答え コンペイトウ
35 答え クシカツテン
36 答え ネコジャラシ
37 答え チャンコナベ
・3のヨコのカギは、「スゴカ」でもOK
38 コ
39 ウ
40 モ
41 マ
42 サ
答え コウモンサマ

43 ン

カ	グ	ヤ	ヒ	メ
ー		キ		モ
ナ	ン	ザ	ン	
ビ		カ		ワ
	タ	ナ	バ	タ

44 答え アマイホシガキ

カ	モ	ノ	ハ	シ		カ	ゲ	ボ	シ		コ	
キ	モ		ク		カ	セ	キ		ア	シ	ク	ビ
ネ		ハ	イ	ガ	マ	イ		キ	イ	チ	ゴ	
	ハ	ム		リ		フ	ゴ	ウ		リ		ナ
ヨ	コ	ス	カ		シ		セ	イ	ユ		ヘ	ヤ
ダ		タ		リ	ヨ	カ	ン		ビ	オ	ラ	
レ	シ	ー	ブ		ウ		フ	ミ	キ	リ		マ
カ	モ		ヨ	コ	ガ	オ		チ	リ		ハ	ト
ケ	バ	ブ		ン		カ	カ	シ		ス	ブ	リ
	シ		シ	ロ	ア	リ		オ	ト	コ		ヨ
シ	ラ	タ	キ		イ	ナ	ホ		ビ	ー	バ	ー
ヤ		ヌ	イ	シ	ロ		コ	ク	バ	ン	ケ	シ
チ	マ	キ		キ	ン	ピ	ラ		コ		ツ	カ

45 答え タマゴカケゴハン

ア		ス	イ	サ	イ	ガ		カ	チ		ク	チ
サ	サ	ミ		ー		ケ	イ	ジ	ド	ウ	シ	ヤ
	キ		ジ	ビ	カ		シ		リ	ン		ワ
キ	ン	ギ	ヨ	ス	ク	イ		サ		カ	ザ	ン
ヨ		シ	ソ		エ		カ	イ	タ	イ		ム
ウ	ス		ウ	エ	キ	バ	チ		イ		ト	シ
カ	ー	ト		ド	テ		ク	サ	ム	シ	リ	
シ	ツ	レ	ン		イ	ゴ		メ		オ	イ	ル
ヨ		ン		ケ	シ	ゴ	ム		シ	リ		ー
	オ	チ	ム	シ	ヤ		ジ	イ	ン		リ	ク
マ		コ		キ		パ	ン		デ	ニ	ム	
ト	パ	ー	ズ		ハ		ト	イ	レ		ジ	コ
	イ	ト		テ	ツ	ド	ウ		ラ	ウ	ン	ジ

46 答え カワイイオクリモノ

ホ	ウ	ソ	ウ	シ		ノ	ハ	ラ		ユ	セ	イ
	エ		カ	ツ	オ		シ	ク	ラ	メ	ン	
ヘ	キ	ガ		イ	カ	メ	ラ		ム		ゴ	ミ
ン		ク	マ		ユ	シ		サ		ツ	ク	シ
セ	イ	ブ	ゲ	キ		ベ	ニ	ヤ	イ	タ		ン
イ		チ		ス	シ		ラ		ワ		モ	
キ	リ		ヒ	マ	ワ	リ		イ	ナ	リ	ズ	シ
	サ	ラ		ー		ク	ル	ー		ス		ア
サ	イ		フ	ク	ロ		リ	ス	ト		チ	ゲ
ド	ク	ダ	ミ		ゴ	マ		ト		ク	ギ	
	ル	イ		ム		ナ	ン	キ	ン	ジ	ヨ	ウ
ホ		ブ	ン	カ	サ	イ		ン		ヤ		コ
シ	ー	ツ		デ	ジ	タ	ル		ガ	ク	ラ	ン

47 答え セカイイサンメグリ

ダ	イ	ナ	マ	イ	ト		ト	ウ	ホ	ク		ゾ
ン		メ		シ	ン	バ	ル		テ	ツ	ド	ウ
ガ	ラ	ク	タ		フ		ス	リ	ル		ウ	リ
ン		ジ		フ	ア	ン	ト	ム	マ	ス	ク	
	ト		ス	キ	ー		イ	ジ	ン		ツ	ル
タ	カ	ラ	モ	ノ		イ		ン		ナ		ー
	ゲ		モ	ト	ク	ロ	ス		ク	ワ	ガ	タ
ク		ア		ウ		リ	ン	グ		ト		ー
イ	タ	マ	エ		ド		ド		エ	ビ	ス	
	ネ	ガ		シ	ロ	ツ	メ	ク	サ		イ	セ
ナ		エ	ノ	キ		リ		モ		シ		メ
ハ	グ	ル	マ		ハ	カ	マ		リ	モ	コ	ン
	チ		ド	キ		ワ	イ	ン		ン		ト

48 答え アザヤカナニシキゴイ

ア		ク	ワ	イ		シ		マ	ス	カ	ツ	ト
サ	ラ	チ		ケ	シ	ヨ	ウ		イ	シ		ザ
ツ		ブ	キ		ロ	ウ		ア	カ	ワ	イ	ン
ユ	ウ	エ	ン	チ		ゾ	ウ	ニ		モ	シ	
	ズ		カ	ン	ト	ウ		メ	モ	チ	ヨ	ウ
ジ	マ	ク		ア	サ	ガ	オ		ウ		ウ	キ
ド	キ		イ	ナ	カ		タ	イ	フ	ウ		ヨ
ウ		フ	タ	ゴ		チ	ク	ワ		タ	ウ	エ
ド	テ		リ		タ	テ		イ	ン	セ	キ	
ア	ブ	ラ	ア	ゲ		イ	テ	ザ		ユ		リ
	ク		ン		ア		バ	ケ	ツ		バ	ス
ア	ロ	エ		ア	サ	ク	サ		ナ	シ		ザ
ユ		マ	サ	カ	リ		キ	ヤ	ミ	ソ	ー	ル

49 答え アオイレジャーシート

ハ	ヤ	シ	ラ	イ	ス		キ	リ	ミ		ヤ	キ	ソ	バ
ナ		マ		ヌ	リ	エ		ビ	コ	ウ		ウ		ラ
ミ	ジ	ン	コ		ラ	ン	タ	ン		マ	ナ	イ	タ	
	キ	ト		フ	ン	カ		グ	ミ		ゴ		ビ	ル
ビ		ガ	ケ		カ		タ		ツ	ブ	ヤ	キ		ビ
ス	ク	ワ	ツ	ト		チ	ン	ミ		レ		ス	キ	ー
	ガ		コ	ン	ニ	ヤ	ク		マ	ー	チ		ズ	
サ	ク	ラ	ン	ボ		ワ		マ	ニ	キ	ユ	ア		オ
	セ	ン	シ		イ	ン	テ	リ	ア		ウ		カ	オ
ハ	イ		キ	ナ	コ		キ	モ		イ	シ	ダ	タ	ミ
ク		シ		タ	ー	キ	ー		カ	シ	ヤ		ミ	ソ
ブ	シ	ヨ	ウ		ル		ラ	ク	セ	ツ		オ		カ
ツ		ウ	カ	イ		ノ		ラ	イ	ブ	ハ	ウ	ス	
カ	マ	ド		カ	コ	ウ	ガ	ン		ツ	タ		モ	ヤ
ン		ク	ス	ダ	マ		ツ	ク	シ		キ	ユ	ウ	リ

50 答え カラクリジカケノイエ

ニ	ワ		ア	カ	シ	オ		ア	マ	ノ	ハ	シ	ダ	テ
ン		ウ	ズ	マ	キ		ミ		ン		ス		イ	
ギ	フ		キ	ン		ニ	シ	キ	ゴ	イ		サ	コ	ツ
ヨ		テ		ベ	ー	コ	ン		ー		ミ	ト	ン	
ウ	イ	ス	キ	ー		ミ		カ		オ	コ	ウ		レ
ゲ		リ		ル	ス		ブ	ラ	ン	コ		キ	リ	ン
キ	フ		ツ		イ	タ	リ	ア		ワ	ラ	ビ	モ	チ
	ロ	ク	ボ	ウ	セ	イ		ゲ	キ		メ		コ	
ダ	ー	ツ		エ	ン		ホ		ス	ソ		ド	ン	ド
	リ		セ	キ		マ	ツ	ト		ウ	モ	ウ		ア
オ	ン	セ	ン		イ	ト	キ	リ	バ	サ	ミ		カ	
ウ	グ	イ	ス	ア	ン		ヨ		ス		ジ	カ	タ	ビ
セ		カ	イ		テ	ブ	ク	ロ		ヤ		イ	ナ	リ
ツ	カ		カ	ー	リ	ン	グ		ア	シ	ア	ト		ケ
マ	ン	ダ	ン		ア		マ	ー	ジ	ヤ	ン		ギ	ン